치팅 데이

CHEAT DAYS

치팅 데이

이현진 장편소설

아프로스
미디어

목차

어느 한 마을 숲속에 괴물이 살고 있었다. 괴물은 마을로 내려가 사람들과 함께 어울려 살고 싶었지만, 사람들은 흉측하게 생긴 그를 마을로 들여보내 주지 않았다.

괴물이 어쩔 수 없이 다시 어두컴컴한 숲속으로 돌아가려는데, 누군가 다가와 말을 걸었다.

"가면을 써 봐. 그럼 아무도 네가 괴물이라는 걸 모를 거야."

괴물은 곧장 그 사람이 준 가면을 쓰고 다시 마을로 돌아갔고, 사람들은 언제 그랬냐는 듯 그를 반갑게 맞이했다.

그토록 동경하던 마을로 들어가 처음으로 마주하게 된 마을 사람들은 놀랍게도 전부 가면을 쓰고 있었다. 그들은 모두 가면 아래 그들의 진짜 모습을 감춘 그와 같은 괴물들이었다.

마을 사람들

1.

흐릿한 시야 속 길을 가득 메운 인파가 보였다. 눈에 보이는 모든 것들이 뚜렷한 형태가 없이 뿌옇고 희미했다. 이목구비를 알아볼 수 없는 얼굴들을 찬찬히 바라보는 동안 그의 뇌가 자연스레 사람들을 인식했다. 낯익은 교복을 입고 있는 고등학교 동창, 회색 양복을 차려입은 대머리 노인, 새하얀 가운을 입고 있는 의사, 술병을 달고 살던 아버지 등 모두 그가 잘 아는 얼굴들이었다. 그들은 그가 기억하는 마지막 모습 그대로 제각기 어디론가 걸어가고 있었다.

자동차들이 도로를 지나다니는 소리, 사람들이 대화하는 소리, 거리에서 울려 퍼지는 최신 노래들, 마치 번화가 한복판에 서 있는 것처럼 시끌벅적한 소리들이 그의 귓가에 맴돌았다. 이 알 수 없는 상황에서 벗어나기 위해 그가 몸을 움직이자 주위의 모든 소리들이 한순간에 사라지더니 고요해졌다.

숨 막히는 몇 초 간의 정적과 함께 길을 걷던 사람들이 동시에 고개를 돌려 그를 쳐다봤다. 그들의 시선이 일제히 그에게 꽂힌 순간, 그는 반사적으로 몸을 돌려 그들을 피해 무작정 도망쳤다.

어디선가 다시 최신 노래들이 흘러나왔다. 망가진 테이프처럼 늘어진 노랫소리가 다소 기괴한 소음을 냈다. 점점 듣기 괴로워지는 음악 소리와 함께 사람들이 좀비처럼 떼를 지어 그를 쫓기 시작했다. 미친 사람들처럼 매섭게 달려오는 그들은 점점 사람의 형태를 잃고 괴상한 모습으로 변해 갔다.

그들의 손이 마침내 그의 목덜미에 닿으려는 순간, 별안간 들려오는 '쾅!' 소리에 희태는 땀범벅이 된 채 눈을 떴다. 그리고 거친 숨을 몰아쉬며 시계를 확인했다.

3월 19일 토요일, 오전 4시 17분.

꿈이었구나. 안도도 잠시, 아찔하고 생생했던 꿈속 장면들이 다시금 떠오른 희태는 눈을 질끈 감았다.

삑-. 삑-. 쾅. 쾅. 쾅.

이곳은 현실임을 다시 한번 상기시켜 주는 소음이 들려왔다. 옆집 남자가 자기 집 비밀번호도 누르지 못할 정도로 술에 취해 문을 두드리며 발로 차는 소리였다.

“또 시작이네.”

희태가 짧은 한숨과 함께 중얼거렸다. 깜빡이는 LED 시계를 멍하니 쳐다보던 희태는 다시 잠을 청했다. 그의 눈이 천천히 감기고 의식이 서서히 멀어지던 순간, 그가 잠드는 걸 방해하려는 듯 문을 걷어차는 쾅쾅 소리가 다시 벽을 타고 넘어왔다. 곧이어 옆집 여자가 나와 실랑이 끝에 자기 남편을 데리고 집 안으로 들어가는 소리가 들렸다. 거기서 끝이라면 좋으련만, 문이 닫힌 후에도 계속해서 언성을 높이며 싸우는 두 사람의 말소리가 희태의 방까지 들려왔다.

“내가 정말 동네 창피해서 못 살겠어! 새벽마다 이게 무슨 난리야!”

“남자가 바깥일 하다 보면 술도 마시고 늦게 들어올 수도 있는 거지. 어디서 큰소리야! 어?”

잔뜩 꼬부라진 발음으로 목청껏 내지르는 옆집 남자의 고함 소리가 귀에 거슬렸다. 지금이 새벽 4시라는 건 알고 저렇게 소리를 질러 대는 걸까. 정말이지 이웃에 대한 배려라고는 눈곱만큼도 찾아볼 수가 없다.

유리 깨지는 소리, 무언가 쏟아지는 둔탁한 소리, 누군가 때리고 맞는 소리와 신세 한탄 소리가 한동안 계속되었다.

지겨운 소동이 잦아들 때쯤엔 희태는 이미 잠에서 깬 지 오래였다. 희태가 침대에서 일어나 띵한 머리를 부여잡고 책상으로 향했다. 3주째 새벽마다 반복되는 소동에 희태의 인내심은 결국 바닥이 나 버렸다. 효과 없는 귀마개를 빼서 쓰레기통에 던져 넣은 후, 그는 비장한 표정으로 포스트잇에 메모를 적기 시작했다.

'안녕하세요, 옆집입니다. 다름이 아니라 매주 토요일 새벽마다 댁에서 들려오는 소음 때문에 잠들기가 어려워 실례를 무릅쓰고 쪽지를 붙입니다. 조금만 배려해 주시면 정말 감사하겠습니다. 그럼 오늘도 좋은 하루 보내세요!'

메모를 다 적은 희태는 여전히 무거운 눈꺼풀을 비비며 주방으로 향했다. 냉장고에서 물을 꺼내 벌컥벌컥 마셨더니 그제야 몸의 세포들이 하나씩 잠에서 깨어나는 듯한 기분이 들었다. 그는 빠르고 노련한 동작으로 식빵 두 개를 토스터에 넣은 다음 커피 머신으로 커피를 내렸다. 아침 식사가 어느 정도 준비되자 희태는 빠른 샤워를 위해 화장실에 들어가 샤워기 물을 틀었다.

화장실 안 물품들은 각을 맞춰 깔끔하게 정돈되어 있었다. 선반 제일 위 칸에는 수면제 약통들이 일렬로 줄지어 있었고, 그 밑에는 세면용품

여분들이, 그리고 제일 밑 칸에는 부드러워 보이는 고급 수건들이 색깔별로 진열되어 있었다. 부스스한 머리카락과 다크서클이 한참 내려온 초췌한 얼굴이 거울 속에 비쳤다. 단정한 화장실과 대비되는 모습이었다.

샤워 부스 안에선 시리도록 차가운 냉수만이 흘러나왔다. 보일러 고장 문제로 집주인에게 연락을 해 놓았지만 며칠째 답을 듣지 못한 상태였다. 샤워를 마친 희태가 얼음장 같은 몸에 샤워 가운을 걸치고는 다시 주방으로 향했다.

잘 구워진 구수한 토스트와 적당한 온도로 식은 커피 향이 그를 맞이했다. 그는 따끈한 식빵을 토스터에서 꺼내 딸기잼과 땅콩버터를 쓱쓱 발라 포갠 뒤 커피와 함께 간단한 아침 식사를 했다. 식도에서부터 배속으로 전해지는 온기 덕분에 그제야 찬물 샤워로 놀랐던 몸이 천천히 진정되어 갔다.

아침 식사를 마친 후 책을 읽으며 느긋하게 시간을 보내고 있자니 휴대 전화에서 '병원 예약'이라는 문구와 함께 알람이 울렸다. 희태는 읽고 있던 챕터를 마저 읽고 나서야 자리에서 일어나 두툼한 겉옷을 걸쳐 입었다. 현관을 나서기 전, 그는 아까 적어 놓은 메모지도 잊지 않고 챙겼다.

희태는 다른 이웃들의 단잠을 방해하지 않기 위해 현관문을 조용히 열고 닫았다. 그는 메모지를 옆집 문에 정갈하게 붙인 다음 다시 한번 내용을 확인했다. 문제 될 부분은 없어 보였다. 예의도 차렸고 요점도 간단하게 잘 적은 메모였다. 그동안 참아 왔던 말을 전하는 것만으로도 마음이 한결 가벼워지는 듯한 기분이 들었다. 희태는 뿌듯한 얼굴로 뒤를 돌아 엘리베이터 버튼을 눌렀다.

*

은은한 조명에 깔끔한 인테리어, 심리학 서적들이 빼곡하게 꽂혀 있는 책장이 주는 묘한 긴장감은 여전히 희태를 위축시켰다. 삭막한 분위기 속에서 홀로 밝은 기운을 내뿜고 있는 의사가 걱정 어린 눈으로 희태에게 물었다.

"요즘은 좀 어떠세요?"

구김 없는 새하얀 가운과 '당신을 괴롭히는 고뇌가 무엇이든 다 이해해 줄 수 있다'고 쓰여 있는 얼굴은 모든 정신과 의사들의 공통 사항인 듯했다.

"불면증이 더 심해진 것 같아요. 악몽을 다시 꾸기 시작해서 요즘 통 잠을 못 자고 있어요."

의사가 차분한 얼굴로 물었다.

"아직도 그날 일에 죄책감을 느끼시나요?"

희태가 괴로운 기억을 떠올리는 듯 힘겹게 대답했다.

"네…… 아직도 눈만 감으면 어김없이 그날로 돌아가요. 억수같이 쏟아지던 비, 비틀거리던 아버지, 쓰러져 있던 엄마. 저는 그날 너무 무서워서 계속 울고만 있었어요. 제가 조금만 더 빨리 손을 뻗었더라면 아버지를 구할 수 있었을지도 모르는데……."

정신과 의사 특유의 '나는 당신의 아픔에 공감한다'라는 표정으로 의사가 대답했다.

"죄책감 느낄 필요 없어요. 그날 희태 씨 아버지께 일어난 일은 사고였잖아요. 희태 씨 잘못이 아니에요."

듣고 싶었던 대답이었는지 희태의 입꼬리가 미세하게 올라갔다. 의사가 알아차릴 틈도 없이 빠르게 제자리로 돌아간 입꼬리는 금세 허탈하고 씁쓸한 웃음소리를 냈다.

"그렇게 말씀해 주셔서 감사해요. 선생님 도움 아니었으면 저는 정말 일상으로 돌아오기 힘들었을 거예요."

"저는 얘기 들어 주는 것밖에 한 게 없는데요, 뭐. 힘든 일 겪고도 잘 이겨 내 줘서 오히려 제가 고맙죠. 가실 때 불면증 약 조금 더 처방해 드릴게요."

"네, 감사합니다."

상담실에서 나온 희태는 처방전을 받은 후 병원을 나섰다. 그가 나간 것을 확인하자마자 데스크에 있던 간호사 한 명이 눈치를 살피며 말을 꺼냈다.

"정희태 환자분은 꾸준히 성실하게 상담을 받으러 오시네요."

"그러게. 다른 환자들에 비해서 트라우마가 그렇게 심한 편도 아닌데 꼬박꼬박 상담을 받으러 오시는 게 대단하지."

"증상이 아직도 심하신가요?"

"다른 두드러지는 증상은 없는데 아직도 죄책감 때문에 종종 악몽을 꿔서 잠을 잘 못 주무시나 봐. 그래서 약 처방 때문에 주기적으로 방문하시는 것 같아."

"죄책감이요?"

"예전에 정희태 환자분 아버지가 옥상에서 추락사했는데, 그때 환자분이 바로 옆에 있었다나 봐. 어린 나이에 그런 걸 직접 봐 버렸으니 얼마나 충격이 컸겠어."

"어머, 정말 상심이 크셨겠어요."

"그러니까 말이야. 그래도 처음에 내원 오셨을 때에 비하면 정말 많이 좋아지신 거야. 그때랑 비교하면 완전히 다른 사람 같다니까. 상담이 확실히 효과가 있었는지 상태도 많이 호전되시고. 정말 다행이지, 뭐."

문밖에서 잠시 휴대 전화를 확인하던 희태는 비밀스럽게 들려오는 자신의 이야기를 조용히 듣고 있었다. 환자가 나가기만을 기다렸다가 이러쿵저러쿵 얘기를 나누는 소리가 꽤나 거슬렸지만, 계속 봐야 할 사람들과 불편한 사이가 되는 것보다는 그냥 참고 넘어가는 것이 낫겠다는 생각에 희태는 조용히 병원을 빠져나갔다.

희태는 병원에 오는 날이면 항상 의례적으로 들르는 납골당으로 향했다. 그는 구두 소리가 낮게 또각또각 울리는 건물의 긴 복도를 지나 기억을 되짚어 가며 어머니가 계신 칸으로 향했다. 그는 어머니의 마지막 흔적을 안치할 장소로 납골당 안에서도 가장 깊숙한 곳, 그중에서도 그의 눈높이에 딱 맞는 칸을 선택했다. 다양한 꽃과 소품들로 알록달록 장식된 여러 칸들 사이 정가운데 위치한 그의 어머니 유골함 칸엔 희태가 직접 접은 하얀색 색종이 꽃과 까만색 플라스틱 액자 하나가 놓여 있었다.

“저 왔어요.”

희태는 한참 동안 액자 속 사진을 응시했다. 사진 속 어머니는 더없이 행복한 웃음을 짓고 있었다. 어머니의 얼굴을 찬찬히 눈에 담는 그의 모습에서 어머니를 향한 애정이 듬뿍 묻어났다.

잠시 후, 그는 나지막하게 “약속, 도장, 복사.”라는 말을 되뇌며 그의 새끼손가락과 엄지손가락과 커다란 손바닥을 차례대로 납골당 칸에 가져다 댔다. 그의 얼굴에 옅은 미소가 피어났다. 사진 속 그의 어머니와 많이 닮은 환한 웃음이었다.

2.

선재는 출근 준비를 위해 조금 낡은 진회색 양복을 차려입고 이대팔 가르마를 정갈하게 빗어 넘기고 있었다. 깊게 팬 주름살, 울긋불긋한 얼굴, 늘어진 얼굴 살, 현저하게 줄어든 머리숱. 언제 이렇게 늙어 버린 건지 거울 속에 비친 모습은 볼 때마다 낯설기만 했다.

씁쓸함을 뒤로하고 집을 나서려던 선재의 시선을 사로잡은 건 재활용품들을 모아 둔 커다란 파란색 비닐봉지였다. 그 안엔 선재가 마신 맥주 캔들과 소주병들이 가득 차 있었다.

선재의 새해 목표는 딱 한 가지였다. 술 끊기. 처음 몇 주는 술 한 모금 없이도 잘 버텨 내는 듯싶었다. 하지만 으레 대부분의 새해 목표가 그렇듯, 마음속에 굳게 새겨 놓은 다짐은 1월이 채 지나기도 전에 그 힘이 다해 버렸다. 바쁘게 사느라 잊고 지냈던 동창들과 다시 연락이 닿자마자 그들은 그간의 밀렸던 회포를 풀기 바빴고, 추억 여행에는 역시나 술이 빠질 수 없었다.

술은 선재를 점점 병들게 했다. 젊은 시절 그는 어딜 가나 주량이 제일 센 사람으로 꼽혔었다. 하지만 세월 앞엔 장사 없다는 말처럼 나이가 드니 체력이 더 이상 예전 같지 않았다. 다음 날 동이 틀 때까지 마셔도 해장이 필요 없었던 튼튼한 몸뚱어리가 이제는 꼬박꼬박 긴 요양을 요구했다.

술은 선재의 인간관계를 어그러뜨렸다. 술만 마시면 행패를 부리는 못난 버릇은 가족들을 그에게서 멀어지게 만들었다. 처음부터 폭력을 휘두른 건 아니었다. 물건을 집어 던지고 발로 차 부수는 걸로는 성이 안 찼는지 언제부턴가 술김에, 홧김에 자기도 모르는 사이 손이 올라가고 발이 먼저 나가는 지경에 이르렀다.

술이 깬 다음 날엔 자책도 많이 했고 가족들에게 죽을죄를 지었다며 사죄도 했다. 하지만 매번 술만 들어가면 이성은 사라지고 폭력적인 본능만이 남아 또다시 최악의 실수를 반복했다. 반평생을 함께해 온 아내와는 어느새 원수보다도 못한 사이가 되어 버렸고, 대학에 입학하자마자 독립한 딸은 벌써 몇 달째 집에 코빼기도 비치지 않고 있었다. 가족들과 마지막으로 제대로 된 대화를 나눠 본 게 언제였는지 이젠 기억조차 가물가물했다.

선재는 이런 근심거리들을 잊기 위해 또 술을 마셨다. 그는 집에서는 가장이자 갑이었지만 밖에선 철저한 을의 역할을 맡고 있었다. 하루하루를 버텨 내기 위해선 그에게도 숨구멍이 필요했다. 언제 빼앗길지 모를 회사 책상을 지키기 위해 고군분투하다 목을 조여 오는 넥타이를 풀어 헤치고 온전히 제대로 숨을 쉴 수 있는 유일한 시간. 술이 몸 안에 진창 퍼부어지는 순간엔 그를 끊임없이 괴롭히는 온갖 걱정들도 술과 함께 다 쓸려 내려갔다.

술은 지겨운 현실을 잊게 해 주는 그의 유일한 낙이었다. 하지만 세상에 공짜는 없듯, 잊고 있던 걱정거리들은 그다음 날 지독한 숙취와 함께 다시 몰려와 그를 더 고통스럽게 했다. 그래도 그는 계속 술을 마셨다. 숙취가 가시고 나면 다시 술을 마실 생각으로 하루하루를 버텨 내는 무한의 굴레에서 빠져나올 수가 없었다.

오늘도 그는 두통과 함께 잠에서 깨어났다. 그가 주말 내내 집 안에 틀어박혀 마신 술병들이 파란 봉투의 제일 위쪽에 쌓여 있었다. 매주 월요일은 재활용 분리수거 날이다. 그러니 선재의 아내가 재활용품 봉투를 보란 듯이 현관에, 그것도 문 앞에 가져다 놓은 건 자기가 마신 건 자기가 치우라는 부탁이자 술 좀 줄이라는 무언의 압박이었다.

하지만 선재는 아내의 의도를 뻔히 파악하고도 그녀의 부탁을 들어줄 생각이 전혀 없었다. 밖에 나가 돈을 버는 건 자신의 몫이니, 그 외 모든 집안일은 오롯이 그녀의 몫이어야 한다는 생각이었다.

선재가 문을 막고 있는 봉투를 옆으로 걷어차 길을 만들었다. 봉투 안에 있던 재활용품들이 서로 부딪치며 시끄러운 소음을 쏟아 냈다. 남편이 출근하는데 배웅도 없는 아내에게 전하는 못난 분풀이였다. 그렇게 집을 나서자 이번엔 현관문에 붙어 있는 파란색 메모지가 눈에 띄었다. 그는 눈을 게슴츠레 뜨고 메모를 천천히 읽어 나갔다.

“안녕하세요, 옆집입니다. 다름이 아니라 매주 토요일 새벽마다 댁에서 들려오는 소음 때문에 잠들기가 어려워 실례를 무릅쓰고 쪽지를 붙입니다. 조금만 배려해 주시면 정말 감사하겠습니다. 그럼 오늘도 좋은 하루 보내세요!”

메모를 읽은 선재의 얼굴이 잔뜩 구겨졌다. 그가 메모지를 현관문에서 떼어 내 아무렇게나 구기며 짜증을 냈다.

“하, 이젠 별게 다 사람 속을 뒤집어 놓네.”

그는 이웃들과 자주 갈등을 겪었다. 주로 그의 술버릇 때문에 생긴 갈등이었다. 몇 번의 크고 작은 신경전 끝에 승리하는 건 언제나 선재였다. 싸움이 격해져 주먹이 날아오더라도 합의금을 받아 내면 된다는 마음가짐을 갖고 있는 막무가내 선재를 이길 수 있는 사람은 아무도 없었다. 싸움에서 백기를 내건 이웃들은 얼마 안 있어 모두 이사를 가 버렸다.

선재는 손목시계를 확인했다. 출근 시간까지는 아직 여유가 있었다. 선재가 크게 심호흡한 뒤 옆집 현관문을 쾅쾅 두드렸다. 이내 현관문이 열리고 희태가 모습을 드러내자 선재가 구겨서 뭉친 메모지를 그의 얼굴을 향해 집어 던졌다. 갑자기 날아드는 종이 뭉치에 얼굴을 맞은 그는 당혹스러움에 미간을 찌푸렸다.

"이거 당신이 쓴 거지?"

선재가 삿대질과 함께 언성을 높였다. 이런 싸움은 자고로 목소리 큰 사람이 이기는 법이었다. 그리고 그건 무엇보다 그가 제일 자신 있는 싸움이었다.

"네, 주말 새벽마다 너무 시끄러운데 혹시 배려 좀 해 주실 수 있나 해서요. 부탁드립니다."

희태가 선재와 눈을 맞추며 대답했다.

자신의 기선 제압에도 아랑곳하지 않고 조곤조곤 대답하는 희태의 반응에 선재는 심기가 불편했다. 몇 주 전 누군가 옆집에 이사를 온 건 알았지만, 직접 얼굴을 맞대는 건 오늘이 처음이었다. 선한 인상에 멀끔한 허우대를 가진 젊은 남자였다.

"그렇게 못 하겠다면?"

"네?"

선재가 희태의 어깨를 손가락으로 꾹꾹 눌러 대며 말했다.

"그렇게 못 하겠으면 어쩔 거냐고. 내가 내 집에서 내 맘대로 살겠다는데 당신이 뭔데 이래라저래라 훈수질이야? 어?"

화를 식이는 듯 입을 꾹 다물고 있는 희태에게 선재가 다그쳤다.

"뭐 해? 사과 안 해?"

"사과요?"

"그래, 사과. 남의 집 문 앞에 이딴 걸 붙여 놓고 아침부터 사람 기분 잡치게 했으면 당연히 사과를 해야지. 뭘 멀뚱멀뚱 서 있어?"

기가 막힌다는 얼굴로 선재를 응시하던 희태가 이내 체념한 표정으로 대답했다.

"네, 죄송합니다."

공손한 말투와 달리 희태의 눈빛은 조금의 미안함도 품고 있지 않았다. 적어도 선재는 그렇게 느꼈다.

"허, 참. 눈 치켜뜨는 꼬락서니하고는. 집에서 뭘 배우는 건지 요즘 젊은것들은 아주 예의가 없어."

선재의 비아냥거리는 말투에도 희태는 아무런 대꾸도 하지 않았다. 선재가 낮게 욕설을 중얼거리며 뒤돌아 엘리베이터 버튼을 눌렀다. 그의 등 뒤에선 옆집 현관문이 닫히는 소리가 들렸다.

*

출근 전, 희태는 병원에서 받아 온 수면제 약통을 화장실 선반 제일 위 칸에 다른 수면제 병들 옆에 줄을 맞춰 올려놓았다. 병원 상담은 희태에겐 하나의 퀘스트와도 같았다. 보상으로 수면제를 처방받을 수 있는 아주 간단한 퀘스트. 존재하지도 않는 트라우마를 들먹이며 꾸준히 병원을 방문하는 것도 이런 이유 때문이었다.

별안간 문 쪽에서 쾅쾅 소리가 났다. 인터폰을 확인해 보니 화면엔 선재의 화난 얼굴이 가득 차 있었다. 현관문을 열자마자 선재가 던진 종이 뭉치가 희태의 얼굴로 날아들었다. 선재는 몇 주 동안 새벽마다 난동을 부린 것에 대해 사과하기는커녕, 예의 있게 그의 잘못을 지적한 희태에게 되레 화를 내며 자신의 기분을 상하게 한 것에 대한 사과를 받아내고자 했다.

선재와의 대화를 마친 희태는 현관문의 잠금장치가 닫히는 알림음이 울리고 나서야 얼굴을 손으로 쓸어내리며 언짢은 감정을 내비쳤다. 표정을 숨기며 분노를 억누르는 건 여전히 어려웠다.

희태가 서둘러 출근 준비를 마치고 집을 나섰다. 건물을 나서려다 지하 쪽 계단을 닦고 있는 경비원과 마주친 그는 사람 좋은 얼굴로 살갑게 인사를 건넸다.

"안녕하세요, 수고 많으십니다."

"예, 안녕하세요. 오늘은 일찍 출근하시네요?"

"아, 네. 차가 고장이 나서 한동안은 좀 일찍 나가야 할 것 같아요. 근데 건물 청소를 직접 하세요?"

"아, 아니에요. 누가 계단에 뭘 흘려 놨는지, 올라가다가 넘어질 뻔해서 그 부분만 닦는 거예요. 혹시나 계단으로 다니실 땐 조심하세요. 미끄러워서 아주 위험해요."

"아이고, 큰일 날 뻔하셨네요. 안 다치셔서 다행입니다. 그럼 저는 이만 먼저 가 보겠습니다. 좋은 하루 보내세요."

"네네, 좋은 하루 보내세요."

희태는 출근길 내내 손목시계를 확인했다. 예정에 없던 옆집 남자와 경비원과의 대화 때문에 대중교통 시간을 맞추기가 빠듯했다. 그는 조금 더 빠른 길로 가야겠다는 생각에 큰길을 벗어나 골목길로 들어갔다.

골목길 안에 누가 있는지 미리 확인하지 못했던 희태는 골목길에 들어서고 나서야 그곳에서 담배를 피우고 있는 고등학생 무리를 발견했다. 그는 잠시 멈칫했지만 돌아가기엔 늦었다는 생각이 들어 그대로 길을 걸어갔다. 아니나 다를까 그들은 희태가 그냥 지나가도록 내버려 두지 않았다.

"아저씨, 저희 용돈 좀 주시면 안 될까요?"

무리 중 한 명이 희태에게 불량스럽게 말을 걸었다.

"강수철 양아치네~"

무리 중 다른 한 명이 비아냥거렸다. 나머지 무리는 이 상황이 즐거운지 뒤쪽에서 담배를 입에 문 채 히죽거렸다. 그들은 희태에게도 익숙한 교복을 입고 있었다. 그들의 말을 무시한 채 지나가려는 희태를 수철이 몸으로 막아섰다.

"어디 가요, 사람이 말을 하는데."

빠듯한 출근길에 한시라도 빨리 이 상황을 벗어나고 싶었던 희태는 주머니에서 지갑을 꺼내 안에 들어 있던 현금 전부를 수철에게 건넸다.

"이제 가도 되죠?"

희태가 수철을 비켜 빠져나가려고 하자 수철이 또다시 그를 막아서며 말했다.

"아저씨 지갑이랑 시계도 되게 좋아 보이네요."

*

결국 지각을 한 희태는 부장 선생으로부터 쓴소리를 듣고 나서야 자리에 앉아 숨을 고를 수 있었다. 쪼르르 뜨거운 물을 따르는 소리에 이어 공기 중에 퍼지는 달달한 믹스커피 향, 드르륵 소리를 내며 차곡차곡 출력되는 프린트물, 선생님들의 조곤조곤 수다 소리로 채워진 이곳은 희태가 올해 새로 발령받아 온 서울 시내 한 초등학교 교무실이다.

희태가 허둥지둥 급하게 수업 자료들을 챙기고 있는데 어디선가 비아냥거리는 소리가 들려왔다.

"정 선생은 학기 시작한 지 얼마나 됐다고 벌써 지각이지?"

희태의 옆 반 담임인 최 선생이었다.

"아, 정말 죄송합니다. 앞으로는 절대 늦지 않도록 하겠습니다."

"선생이면 선생답게 학생들에게 모범을 보여야지. 반 아이들이 뭘 보고 배우겠어."

최 선생은 부장 선생에게 이미 한바탕 잔소리를 듣고 온 희태를 가만히 내버려 두지 않았다. 그는 희태가 이 학교에 출근한 첫날부터 사사건건 참견하는 것도 모자라 하나부터 열까지 모든 걸 가르치려 들었다. 그는 아랫사람에게만 한없이 강해지는 부류의 사람이었다.

"그거 오늘 수업 자료지?"

그가 눈짓으로 가리킨 건 희태가 오늘 수업을 위해 늦은 새벽까지 준비한 자료들이었다.

"네."

"좋은 자료 있으면 공유 좀 해 달라니까, 사람이 왜 이렇게 센스가 없어."

"죄송합니다. 바로 복사해서 드릴게요."

"그래, 다음부턴 미리미리 좀 해 줘."

최 선생의 수업 자료까지 복사한 후 교무실을 나서는 희태의 옆으로 누군가 따라붙었다. 체육을 전담하고 있는 이 선생이었다.

"같이 가, 지각생! 아니, 지각한 선생!"

이 선생은 올해 희태와 같이 이 학교로 발령 온 동기였다.

"최 선생님은 너한테 수업 자료 맡겨 놨냐? 어떻게 저렇게 뻔뻔하지?

나도 나이 먹으면 저렇게 되려나?"

"뭐 어쩌겠어. 안 해 주면 더 괴롭힐 텐데. 그냥 해 주고 마는 거지."

"그래도 다른 선생님들 얘기 들어 보니까, 작년에 자기 때문에 선생 하나 그만두고 나서는 그나마 몸 사리는 거라던데."

"도대체 얼마나 괴롭혔으면 그만두기까지 하지?"

"내 말이. 그래도 여전히 다른 선생님들 괴롭히는 거 봐. 사람은 정말 안 변하나 봐."

"그러게 말이다."

"안에는 저런 인간 있지, 밖에는 갑질하는 학부모 있지. 학교 선생님이야말로 정말 극한직업이다."

이 선생의 푸념에 희태는 작게 고개를 끄덕이며 쓴웃음을 지었다.

3.

사람들은 모두 각자만의 선이 있다. 그리고 우리는 서로가 정해 놓은 그 선을 넘지 않기 위해 조심한다. 그것이 사회적 예의이고, 서로와의 갈등을 최소화할 수 있는 방법이기 때문이다.

그렇게 이상적인 사회를 위해 노력하는 사람들이 있는 반면, 남에게 피해

입히는 것에 거리낌이 없고 남의 선을 서슴지 않고 침범하는 사람들도 분명 존재한다. 그들은 비교적 소수에 불과하지만, 사회 전반에 막대한 해를 끼치는 지독한 해충 같은 존재들이다.

그리고 나는 그런 사람들이 정말이지 너무나도 싫다. 주말 새벽마다 난동을 피우는 옆집에, 시도 때도 없이 쿵쾅거리는 윗집에, 담배 냄새를 풍기는 아랫집에, 고장 난 보일러를 고쳐 줄 생각이 없어 보이는 집주인, 그리고 온갖 텃세와 꼬장을 부리는 동료 선생까지. 다들 남들에게 피해만 주는 한심한 인간들이다.

물론, 이건 내 주위 사람들에게만 해당되는 문제는 아니다. 세상은 온갖 끔찍한 인간들로 가득 차 있고, 우리는 어디서나 그 존재들을 쉽게 찾아볼 수 있다. 집 안에서도, 학교에서도, 직장에서도, 동네 슈퍼에서도, 길을 걷다가도 종종 마주하게 되는 그들은 멀쩡한 사람인 척 가면을 쓰고 살아가지만, 사실은 발견 즉시 박멸되어야 하는 벌레 같은 존재들이다.

그런 죽여 마땅한 것들을 당장이라도 말살해 버리면 마음은 편해지겠지만, 버러지 같은 것들 때문에 내 인생까지 조질 수는 없는 법이다. 하지만 기다리고 인내하다 보면 언젠간 그들을 눈앞에서 치워 버릴 수 있는 기회가 찾아오기 마련이다.

여느 때와 같이 집으로 돌아가는 길에 빌라 엘리베이터에 붙어 있는 '고장 수리 중' 안내문을 발견하자마자 나는 오늘이 바로 그날이라는 것을 직감적으로 알 수 있었다. 휴대 전화를 확인하니 3월 25일 금요일, 오후 10시 31분이라는 날짜와 시간이 화면에 나타났다. 새어 나오는 웃음을 참을 수가 없었다. 성공할 수 있을지는 미지수지만 두 번 다신 오지 않을 절호의 기회였다.

나는 집에 도착하자마자 제일 먼저 도어 록 건전지를 빼내고 휴대 전화 알람을 새벽 3시 30분으로 맞춰 놓았다. 알람이 울리자, 나는 미리 준비해 둔 액체가 든 병을 챙겨 집을 나섰다. 혹시나 발소리가 날까 신발도 신지 않았다. 바깥엔 빌라 전체가 잠들어 있는 듯 고요함만이 맴돌았다.

혹시라도 아직 깨어 있을지 모를 이웃들의 주의를 끌지 않기 위해 숨소리마저 죽인 채 최대한 살금살금 2층으로 내려갔다. 빌라 계단은 아찔할 정도로 가파르고 좁았다. 운동 삼아 오르락내리락할 때도 꽤나 강도 높은 유산소를 선사하던 계단이 이렇게 다른 쪽으로도 요긴하게 쓰일 줄은 꿈에도 몰랐다.

계단을 내려오는 동안 곳곳에 CCTV 카메라 몇 대가 보였지만 문제없었다. 경비실에 음료 세트를 들고 찾아가 알아낸 바에 의하면, 무슨 의도에서인지 누군가 몰래 선을 자르고 도망간 뒤로 몇 달 동안 방치되어 있는 고장 난 카메라들이었다.

이제야 드디어 보안 시설이 좋은 아파트와 오피스텔을 마다하고 이런 후진 빌라를 선택한 이유가 빛을 발하는 듯했다. 이웃 갈등은 차마 생각하지 못했던 부분이지만, 출입 기록도 남지 않고, CCTV 카메라도 제대로 작동하지 않는 이 빌라는 나에게는 더할 나위 없는 곳이었다.

옆집 이웃은 골칫덩어리였다. 나는 매주 소음 때문에 피가 말라 가는데 상대방은 다음부턴 조심하겠다는 말은커녕 잘못을 인정할 생각조차 없었다. 게다가 그는 술만 마시면 아내에게 폭력을 행사하는 쓰레기 같은 인간이었다.

상식적인 대화는 통하지 않고, 그렇다고 다른 방법을 쓰자니 위험 부담이 너무 컸다. 그는 멀쩡한 직장과 가족이 있고, 이웃들과 여러 번의 갈등을 겪은 전적이 있는 사람이다. 그 말은 곧, 혹여나 그 사람에게 무슨 일이 생길 경우 옆집에 산다는 이유만으로도 용의선상에 오를 수 있다는 뜻이다.

하지만 오늘과 같이 엘리베이터가 수리 중이라면, 마침 누군가 실수로 흘린 무언가 때문에 계단이 아주 미끄럽다면, 술에 취해 인사불성이 된 남자가 계단을 오르다 굴러서 낙상사하더라도 나에게 불똥이 튀는 일은 없을 것이다.

새벽 4시가 조금 지났을 무렵, 고요하던 동네에 사이렌 소리가 울려 퍼졌다. 나는 소파에 누워 있다가 그 소리를 듣고 벌떡 일어나 슬리퍼를 신고 1층으로 내려갔다. 1층엔 신고자로 보이는 한 아주머니가 휴대 전화를 손에 쥐고 안절부절못하며 서성대고 있었고, 한 중년 남자가 구급 대원들을 따라 건물 밖으로 나가고 있었다. 나는 한껏 놀란 표정을 지으며 아주머니에게 물었다.

"괜찮으세요? 무슨 일 있으세요?"

"아휴, 저도 모르겠어요. 별안간 쿵 소리가 나서 남편이랑 같이 나와 보니까 누가 계단에서 넘어진 건지 머리에서 피가 철철 나길래 신고는 했는데. 아이고, 어쩜 좋아. 저 사람 괜찮아야 할 텐데. 나도 놀라서 몸이 벌벌 떨리네."

1층 아주머니가 정신없이 말을 끝내고는 바깥에 있는 남편에게로 향했다. 현관문 너머로 구급차 안에 실린 옆집 남자가 보였다. 떨어질 때 목이라도 확 꺾여서 즉사하길 바랐는데, 아무래도 그런 운은 따라 주지 않은 모양이다. 악당들은 왜인지 대개 명줄이 길다.

나는 아무도 없는 틈을 타 재빨리 슬리퍼를 벗고 아직 흥건하게 남아 있는 액체 웅덩이를 양말로 닦아 냈다. 차가운 물기가 양말에 젖어 들어 발바닥을 적셔 왔다.

아, 이제야 한동안 평화로운 주말 아침을 맞이할 수 있겠구나.

치팅 데이

1.

어린 시절 엄마와 함께 할머니 할아버지를 처음 보러 간 날이 아직도 기억난다. 그들은 내 기대와는 달리 시골집이 아닌 납골당에서 나를 기다리고 있었다. 다른 친구들의 할머니 할아버지와는 달리 우리 할머니 할아버지는 나랑 놀아 줄 수도, 나에게 맛있는 음식을 해 줄 수도, 장난감을 사 줄 수도 없었다. 그들이 할 수 있는 거라곤 그저 액자 안에서 인자한 미소를 띠는 것뿐이었다.

"엄마, 나는 할머니 할아버지 못 만나?"

내가 뾰로통한 얼굴로 묻자 엄마는 사진 속 할아버지와 닮은 커다란 미소를 지으며 대답했다.

"희태도 할머니 할아버지 많이 보고 싶지? 두 분 모두 살아 계셨으면 희태 많이 예뻐해 주셨을 텐데, 참 아쉽다."

"사람은 왜 죽는 거야?"

"음, 사람은 불완전하니까. 그래서 병이 들어서 죽기도 하고, 사고가 나서 죽기도 하고, 나이를 많이 먹고 늙어서 죽기도 하는 거지. 사람이 죽는 건 슬프거나 이상한 게 아니고 그냥 당연한 자연의 섭리인 거야."

"엄마도 언젠간 죽어?"

순수한 얼굴로 던지는 질문이 제법 무거웠는지 엄마는 얕은 헛웃음과 함께 따뜻한 손으로 내 머리와 볼을 어루만지며 대답했었다.

"글쎄, 엄마는 우리 희태 꼬부랑 할아버지 될 때까지 같이 살고 싶은데~"

엄마는 대답과 동시에 나를 간지럼 태우며 장난을 쳤고, 그날의 기억은 왠지 모르게 내 머릿속에 오랫동안 강렬하게 남아 있었다. 하지만 영원히 행복할 것만 같았던 우리 사이는 그날로부터 얼마 지나지 않아 내가 저지른 잘못으로 인해 조금씩 금이 가기 시작했다.

텅 빈 교실에 앉아 누군가를 기다려야 했던 어느 오후, 창문 밖으로 담임 선생님의 연락을 받고 달려오는 엄마가 보였다. 이내 선생님과 엄마는 상담실에서 오늘 일어났던 일에 대해 얘기를 나눴다. 상담실 밖에서 엄마를 기다리던 나의 시선은 줄곧 바닥을 향하고 있었지만, 내 두 귀는 두 사람이 하는 말에 온 신경을 쏟고 있었다.

"늦어서 정말 죄송합니다."

"아니에요, 갑자기 전화드려서 제가 죄송하죠. 현수는 다행히 심하게 다치지는 않았는데, 많이 놀랐는지 계속 울어서 아까 현수 어머니가 오셔서 데려가셨어요. 아이들끼리 장난치다가 희태가 현수를 밀친 모양인데, 왜 그랬는지 말을 안 해 주더라고요. 아마 희태도 많이 놀랐을 거예요. 어머니가 한번 얘기 나눠 보시면 좋을 것 같아요."

"정말 죄송합니다. 제가 희태랑 잘 이야기해 볼게요. 현수 어머니께도 제가 따로 연락드리고 사과드리겠습니다. 정말 죄송합니다."

자초지종을 전해 들은 엄마는 연신 굽신거리며 죄송하다는 말을 반복했다. 엄마가 왜 사과를 하는 건지 알 수가 없었다. 나는 잘못한 게 하나도 없는데, 왜 엄마는 마치 내가 나쁜 일을 저지른 것처럼 행동하는 건지 이해가 잘 가지 않았다.

선생님과의 대화가 끝난 후 엄마는 내 손을 잡고 학교를 나섰다. 잠시 침묵을 유지하던 엄마가 내게 말을 걸었다.

"희태야, 선생님한테 얘기 들었어. 친구가 다쳐서 희태도 많이 놀랐겠다. 현수 왜 밀쳤는지 엄마한테는 말해 줄 수 있어?"

선생님에게 계속 사과만 하던 엄마의 모습에 괜히 심술이 났던 나는 고개를 푹 숙인 채 입을 꾹 다물고 있었다.

“엄마한테도 얘기 안 해 줄 거야?”

“응, 비밀이야.”

“희태는 원래 안 그러는데 왜 그랬을까? 엄마는 궁금하네. 그냥 장난치다가 모르고 그런 건가?”

엄마의 능청스러운 태도에 기분이 조금 누그러졌던 걸까, 내가 작은 목소리로 중얼거렸다.

“장난친 거 아닌데.”

“응? 뭐라고?”

“장난친 거 아니야.”

“그러면 친구를 왜 밀었어? 현수가 희태를 화나게 했어?”

“응, 현수가 학교에서 나 맨날 괴롭혀. 장난이라고 하면서 자꾸 찌르고, 내 물건도 뺏어 가서 망가뜨려. 나는 현수가 너무 싫어.”

엄마가 나긋한 목소리로 나를 달랬다.

“그랬구나. 현수가 희태를 계속 괴롭혔구나. 많이 속상했겠다. 엄마가 현수한테 다시는 그러지 말라고 말해 줄게.”

엄마가 이번엔 단호한 목소리로 말을 이어 갔다.

“그래도 희태야, 친구를 밀치고 다치게 하면 안 돼. 오늘은 다행히 현수가 크게 안 다쳤지만 만약에 계단 같은 데서 넘어졌으면 정말 많이 다쳤을 거야.

학교에도 못 나오고."

나는 말똥말똥한 눈으로 엄마에게 물었다.

"계단에서 넘어지면 현수 학교 못 나와?"

"그래, 많이 다치면 못 나와. 계속 병원에만 있어야 돼. 그러니까 그러면 안 되겠지?"

"아아, 그럼 계단에서 밀걸. 현수가 학교에 안 나왔으면 좋겠는데. 나는 현수가 죽었으면 좋겠어. 현수가 죽어서 우리 할머니 할아버지처럼 영원히 액자 속에만 있으면 좋겠어."

나는 신나게 떠들어 대며 활짝 웃었고, 엄마는 지금껏 한 번도 본 적 없는 표정을 지었다. 나는 잘못한 것이 하나도 없었지만, 엄마의 생각은 조금 달랐던 모양이다. 친구를 다치게 하면 안 된다는 말이 내 머리로는 이해가 되지 않았다. 나를 먼저 괴롭힌 건 현수였고 그래서 현수가 보기 싫었던 것뿐인데, 왜 선생님도 엄마도 나에게만 잘못을 묻는 건지 알 수가 없었다.

그 이후 엄마와 나는 현수와 현수 부모님께 직접 찾아가 사과를 드려야 했고, 나는 현수에게 아무런 사과도 받지 못했다. 엄마는 현수에게 내가 생일 선물로 받고 싶다고 했던 레고 세트를 사 주셨고, 나는 학교를 다른 곳으로 옮기게 되었다.

엄마는 한동안 나를 향해 웃어 주지 않았다. 나를 끌어안고 울기만 했다. 엄마밖에 모르는 그 나이대 꼬마 아이에게는 세상이 무너지는 것과도 같은 경험이었다. 내 섣부른 행동으로 인해 나는 엄마의 신뢰를 잃었고, 현수에게 당한 것을 제대로 되갚아 줄 기회 또한 잃었다. 모든 걸 제자리로 돌려놓기 위해선 아주 오랜 노력과 시간이 필요했다.

그래도 나는 이 사건을 통해 한 가지 값진 교훈을 얻을 수 있었다. 누가 얼마나 더 큰 잘못을 저질렀는지는 중요하지 않았다. 나를 몰래 괴롭히던 현수는 상을 받았고, 모두가 보는 앞에서 현수를 밀친 나는 벌을 받았다. 걸리느냐 안 걸리느냐의 차이가 있을 뿐이었다. 즉, 걸리지만 않는다면 아무도 내게 잘못을 묻지 않을 거라는 뜻이었다.

*

사람의 본성은 변하지 않는다. 사람은 본래 악하고, 자신의 이득을 위해서라면 자기보다 약한 사람을 서슴지 않고 잡아먹는 약육강식의 본능을 가지고 태어난다. 물론, 짐승들과는 다르게 대부분의 사람들은 교육과 경험을 통해 인성, 도덕, 예절 등을 배움으로써 옳고 그름을 판단할 수 있는 분별력을 가지고 있다.

나 역시 엄마의 교육을 통해 내 본성을 억누르는 법을 조금씩 배워 나갔다. 엄마는 나를 포기하지 않았고, 사랑으로 나를 보듬으며 나에게 인내를 가르쳐 주었다. 엄마는 심리학 서적을 읽고서 내게 감정을 조절하는 방법을 가르쳐 주거나, 내 행동이 얼마나 잘못됐으며 다른 사람들을 다치게 하면 어떤 처벌을 받게 되는지 등에 대해 매일같이 이야기해 주곤 했다.

"화가 나는 일이 생길 때마다 숫자를 세는 거야. 그러다 보면 흥분이 가라앉으면서 별거 아닌 일이 되어 버리거든. 이 세상 그 누구에게도 다른 사람을 해칠 권리는 없어. 그런 기본적인 것도 지키지 못하는 사람들 때문에 법이 존재하는 거야. 너를 괴롭게 하는 사람들은 어떤 형태로든 합당한 벌을 받게 될 거고, 너도 누군가를 다치게 하면 평생 감옥에서 벌을 받게 될 거야."

엄마의 노력은 헛되지 않았다. 귀에 딱지가 앉도록 들었던 엄마의 당부는 어딜 가나 항상 나를 따라다녔고, 꼭 지켜야만 하는 규칙이 되었다. 나는 자라면서 점차 엄마가 바라는 평범한 사람이 되어 갔고, 남들에게 피해를 끼치지 않고 제구실을 하며 사는 어엿한 사회의 일원이 되어 갔다.

모든 게 다 엄마가 원하는 대로 이루어졌지만, 나는 어쩐지 점점 나 자신을 잃어 가는 듯한 기분이 들었다. 물론, 엄마가 바라는 대로 사는 것도 그리 나쁘진 않았다. 다만 내 진짜 모습을 꼭꼭 숨긴 채 착한 아이 행세를 하며 사는 건 조금 좀이 쑤신다고 할까. 내가 아닌 다른 사람의 인생을 사는 것만 같았다. 특히나 살면서 계속 또 다른 현수들을 마주하게 될 때마다 더더욱 그랬다.

약자에게만 강한 사람들, 남에게 끊임없이 피해를 끼치는 사람들, 허허 웃으며 사람들과 원만한 관계를 맺으려 노력하는 사람을 만만하게 보고 이용해 먹는 사람들, 자신의 편리를 위해 남에게 희생을 강요하는 사람들, 나열하자면 끝이 없는 현수들이다.

아무리 무시하려고 해도 끝없이 생겨나는 현수들을 어떻게든 내 선에서 처리해야 했다. 또다시 현수가 내 인생을 망치게 내버려 둘 수는 없었다.

그래서 찾은 절충안이 바로 '치팅 데이'였다. 속여도 되는 날. 내가 다시 착한 아이가 되었다고 믿는 엄마를 속이고, 하루쯤은 평범하지 않아도 용서가 되는 날이었다.

그렇게 나는 한 달에 한 번 나만의 치팅 데이를 정해 조금씩 내 선을 넘어오는, 내 인생에 하등 도움이 안 될 것들을 내 눈앞에서 치워 버리기 시작했다. 은밀하게, 아무도 눈치 못 채게끔. 또다시 누군가에게 내 진짜 모습을 들켜 평온한 일상을 깨뜨리고 싶진 않았다.

물론, 마음에 안 든다고 아무나 내 마음대로 다 쑤시고 부수고 할 수 있는 건 아니었다. 나는 이제 더 이상 기분에 따라 행동하는 어린애가 아니다. 세상은 이제 다 커 버린 내가 사회의 잣대에 어긋나는 행동을 하는 것을 눈감아 주지 않을 것이다.

그래도 다행인 건, 사람의 목숨을 빼앗는 것 외에도 그 사람을 망가뜨릴 수 있는 방법이 여러 가지가 있다는 사실이었다. 사람은 사람으로 살아가기 위해 필요한 부수적인 것들이 아주 많다. 인간관계, 금전 문제, 권력, 자존심 등 그 사람이 중요하게 생각하는 것들을 살짝 건드리기만 하면 사람은 꽤나 쉽게 무너지고 만다. 예를 들어, 체면을 중시하는 최 선생이 맘카페에 익명으로 공개된 불륜 사진으로 인해 학부모들에게 온갖 항의와 갑질을 당하다 교직을 잃게 된 일처럼 말이다.

치팅 데이를 정한 건 충동을 억제하지 못하는 불상사를 막기 위함이기도 했다. 다이어트를 위해 식단을 조절하다가도 자신이 정한 하루쯤은 먹고 싶은 음식을 마음껏 먹어도 용서가 되는 날을 치팅 데이라고 하는 것과 일맥상통한 부분이다. 평소에 건실한 사회의 일원으로 살아가기 위해서는 나에게도 분노를 표출할 수단이 필요했다. 참고 살면 병이 나기 마련이니까.

그래도 배가 고프다고 아무거나 주워 먹고 탈이 나지 않으려면 항상 신중하고 냉정하게 행동해야 한다. 흥분해서 일을 저지르면 실수해서 꼬리를 잡힐 확률이 크다. 제일 중요한 건 들키지 않는 것이다. 들키지만 않으면 아무도 내게 잘못을 묻지 않을 것이다.

2.

희태가 퇴근길에 휴대 전화를 확인하니 친구 유원에게서 문자가 한 통 도착해 있었다.

'오늘 시간 되면 와서 저녁 먹고 가. 엄마가 갈비찜 한대.'

문자를 확인하자마자 희태의 얼굴에 빙그레 미소가 피어났다. 희태가 지금 출발한다는 답장을 보내며 서둘러 학교를 나섰다.

유원의 집에 도착한 희태를 그의 어머니가 반갑게 맞이했다.

"어, 희태 왔어? 뭘 또 이렇게 바리바리 사 왔어. 그냥 오면 되지."

"그냥 오는 길에 어머니 좋아하시는 딸기랑 고기 좀 사 왔어요. 불러 주셔서 감사해요. 냄새가 너무 좋은데요?"

희태와 유원의 어머니가 서로 반갑게 인사를 건네는 사이 유원의 여동생 유현이 방에서 거실로 나왔다. 희태가 유현에게 말을 걸었다.

"너가 어쩐 일로 이 시간에 집에 있어? 오늘은 야자 안 해?"

"오늘 학교 단축 수업 했어."

유현이 작은 목소리로 대답했다.

"와, 좋겠네. 근데 표정이 왜 그래? 무슨 일 있어?"

유현이 잠시 머뭇거리다 대답했다.

"어제 우리 학교 학생 중 하나가 자살했대."

"어? 진짜?"

"응, 그래서 아까 학교에서 다들 그 얘기만 하더라."

"어이고, 어떡하냐. 아는 친구였어?"

"아니. 한 학년 위라 잘 모르는 사람인데, 그래도 마음이 좀 안 좋네. 애들 말로는 괴롭힘당해서 그런 거라던데……."

"애가 자살할 정도로 괴롭힘을 당했는데 주위에 도와준 사람이 한 명도 없었던 거야?"

식탁에 합류한 유원이 대화에 끼어들었다.

"자세한 건 나도 모르지. 근데 자살한 사람 괴롭힌 사람들, 아마 제대로 처벌도 안 받을 거래. 다들 쉬쉬하는 분위기라 어떻게 될지 모르겠어. 학교에서 무섭기로 유명한 선배들인데 학교 등교하는 길 골목에도 종종 보여서 좀 무서워."

"어휴, 그런 것들은 다 감옥에 처넣어야 되는데. 처벌이 약하니까 그런 것들이 사회 나가서도 문제를 일으키지. 안 그러냐?"

유원이 언성을 높이며 희태에게 동의를 구했다.

"그러게. 아무리 가해자들이 학생이라도 사람이 죽었는데 그냥 넘어가는 건 말이 안 되지."

희태는 얼마 전 골목길에서 마주쳤던 학생들을 떠올렸다. 그들은 모두 유현과 같은 학교의 교복을 입고 있었다.

"아무래도 걱정되네. 유원이 네가 시간 되면 동생 학교에 데려다주는 게 어때?"

어머니의 말에 유원이 흔쾌히 대답했다.

"그러는 게 마음 편하겠네요. 유현아, 내가 좀 더 일찍 일어나면 되니까 내일부터 같이 나가자."

유원이 무심코 희태의 손목을 보더니 물었다.

"근데 너 왜 시계 안 차고 다니냐, 항상 차고 다니더니?"

"귀신이네. 수리 맡겼어. 살짝 기스가 나서."

시무룩해 있던 유현이 들뜬 목소리로 물었다.

"시계 마음에 들어? 그거 내가 고른 거야. 오빠가 희태 오빠 취업 축하 선물로 디자인 예쁜 거 같이 골라 달라고 해서."

"어쩐지. 김유원 센스에 비해 시계가 너무 예쁘더라. 고마워."

"야, 나도 같이 고른 거야!"

"고마워. 너무 마음에 들어. 앞으로도 항상 차고 다닐게."

"참나, 다음엔 더 좋은 거 사 줄게."

"아냐, 이거면 충분해."

유원이 희태를 향해 흐뭇한 미소를 지으며 말했다.

"나도 네가 생일 선물로 만들어 준 레고 피규어 잘 보관하고 있어."

유현이 다시 둘의 대화에 끼어들었다.

"희태 오빠도 참 대단하다. 레고를 아직도 좋아해?"

"그래서 초등학교 선생이 딱이잖아. 취미가 초딩 수준이라 초딩하고 잘 어울리겠어."

유원의 말에 모두 웃음을 터뜨렸다.

3.

희태는 운전하는 내내 뒷좌석에 앉은 사람을 백미러로 확인했다. 한참을 달리자 시야가 탁 트인 한강이 눈앞에 펼쳐졌다.

희태는 인적이 드문 둔치에 차를 세우고 내렸다. 차가운 강바람과 함께 물 냄새가 코를 자극했다. 그는 주머니에서 휴대 전화를 꺼냈다. 배경 화면에는 잔뜩 멋을 부린 젊은 남자의 사진이 있었다. 그는 휴대 전화 안에 있던 사진과 동영상 파일들을 자신의 클라우드 드라이브에 전부 올리더니 더 이상 용건이 없다는 듯, 그 휴대 전화를 있는 힘껏 강을 향해 집어 던졌다. 휴대 전화는 긴 포물선을 그리며 날아가 퐁당 소리와 함께 물속으로 잠수했다.

희태는 다시 차로 돌아와 시동을 걸었다. 자동차 화면에는 오늘의 날짜와 시간이 표시되어 있었다.

4월 9일 토요일, 오전 4시 40분.

뒷좌석에 앉아 있는 사람은 마스크를 쓴 상태로 얌전히 기절해 있었다. 옆으로 넘긴 머리에 후드 티를 입은 그는 바로 몇 주 전 희태에게서 지갑과 시계를 갈취한 수철이었다. 희태는 주로 수면제를 이용하거나 뒤에서 목을 졸라 납치할 대상을 기절시킨 다음, 클로로포름을 적신 마스크를 씌워 목적지까지 데려가는 방식을 사용했다.

한 시간 정도를 주행하던 자동차가 청평으로 진입해 인가에서 한참 떨어진 외딴곳의 한 별장 앞에 멈춰 섰다. 아담한 조립식 주택, 소박한 텃밭, 손수 옮겨 만든 돌다리, 그리고 땅의 경계를 따라 심은 식물들까지. 이곳은 희태가 오랜 시간과 노력을 들여 일궈 낸 그만의 비밀 아지트였다.

차에서 내린 희태는 창고에서 바퀴 달린 수레를 끌고 나와 수철을 실었다. 수레는 삐그덕 소리를 내며 별장 뒤편으로 향했다. 바닥에 펼쳐져 있던 파란 방수포를 걷어 내자 커다란 지하실 입구가 모습을 드러냈다.

희태는 주머니에 있던 열쇠로 자물쇠를 열어 무거운 철문을 개방했다. 철문은 괴이한 굉음을 내며 그 속을 공개했다. 지하실로 이어지는 꽤나 가파른 계단 한쪽엔 평평한 경사로가 설치되어 있었다. 희태는 경사로를 이용해 수레를 지하실 안으로 끌고 들어갔다.

스산한 분위기를 풍기는 입구와 달리 지하실 내부는 비교적 평범하고 깔끔하게 정돈되어 있었다. 제일 눈에 띄는 부분은 벽면이었다. 이중 삼중으로 시공된 방음벽은 안에서 누가 악을 쓰고 비명을 지르더라도 그 소리가 밖으로 새어 나가지 않게끔 사방을 빈틈없이 에워싸고 있었다.

희태는 수철을 의자에 앉히고 그의 손과 발을 단단히 결박했다. 그리고 마스크를 벗겨 그의 입에 테이프를 붙였다. 기다란 책상 하나를 가운데 두고 마주 앉은 수철과 희태의 모습은 마치 취조실을 연상시켰다. 희태는 책상 위에 레고 미니 피규어 조각들이 담긴 통을 꺼내 놓고 TV 전원을 켰다.

[미국이 직면한 가장 치명적인 마약이라고 규정된 마약성 진통제 펜타닐 중독 문제가 심각한 사회 문제로 떠오르고 있습니다. 펜타닐 과다 복용 문제는 최근 각종 질병과 자살, 교통사고를 제치고 미국인 18~49세 사망 원인 1위를 차지했습니다.]

"쯧쯧, 말세네, 말세야."

희태는 TV 화면을 응시하며 혀를 찼다. 까만색 정장을 차려입은 아나운서가 엄숙한 목소리로 계속해서 뉴스를 전달했다.

[특히나 젊은 청년층과 아동을 끌어들이기 위해 알록달록한 색상과 다양한 형태로 마약이 제조되고 있다는 사실이 알려져 시민들에게 큰 충격을 안겨 주고 있습니다. 미국뿐만 아니라 최근 국내에서도 펜타닐을 비롯한 여러 마약 사례가 급증하고 있는데요. 한 조사에 따르면……]

희태가 뉴스를 보며 손을 바쁘게 움직이는 사이 어느새 벌써 레고 미니 피규어가 완성되었다. 두 개의 미니 피규어 중 하나는 이 대팔 가르마 스타일의 남자가 한 손에 소주병 모형을 들고 있었고, 다른 하나는 옆으로 넘긴 머리에 후드 티를 입고 있었다. 희태가 수철을 닮은 피규어를 맞은편에 앉아 있는 진짜 수철과 비교해 가며 피규어의 왼쪽 손목에 회색 철사를 시계처럼 둘렀다.

지하실 한쪽 벽엔 수많은 레고 피규어들을 진열해 놓은 선반이 있었다. 그곳에는 의사 가운을 입은 여자, 교복을 입은 남자, 양복 차림에 서류 가방을 멘 남자, 작업복을 입은 남자 등 각양각색의 미니 피규어들이 줄지어 전시되어 있었다. 희태는 방금 새로 만든 두 개의 피규어들을 선반의 제일 오른쪽 끝에 올려놓았다.

자신을 닮은 레고 모형이 완성되는 동안 수철은 의식이 아직 돌아오지 않은 척 눈을 감고 결박을 풀기 위해 안간힘을 쓰고 있었다. 수철은 눈을 가늘게 뜨고 자신이 있는 공간을 둘러봤다. 무언가에 열중하고 있는 남자와 벽에 진열되어 있는 도끼, 망치, 칼, 톱 등의 도구들이 그의 눈에 들어왔다.

이 상황은 절대 꿈이나 누군가의 장난이 아니었다. 단단하게 묶인 결박은 아무리 애를 써 봐도 풀릴 기색이 없었다. 수철은 절망을 느끼며 눈을 감은 채 미간을 찡그렸다. 잠시 후, 앞에 있는 남자가 자신 쪽으로 다가오는 발소리가 들렸다. 수철은 두려움에 몸을 떨며 가냘픈 신음 소리를 냈다. 그 모습을 본 희태가 웃음을 터뜨리며 말했다.

“아, 진짜 웬만하면 모른 척하려고 했는데, 그렇게 티가 나게 낑낑대시면 어떡해요. 웃음 참기 힘들게.”

수철이 체념한 듯 슬며시 눈을 뜨고 희태를 쳐다봤다. 미동도 없는 희태에 비해 수철의 두 눈동자는 심하게 흔들리고 있었다. 항상 누군가를 두려움에 떨게 만들었던 수철은 자신이 이런 상황에 처하게 될 줄 상상이나 했을까. 누구든 겪어 보지 않고는 상대방의 마음을 헤아릴 수 없는 법이다.

수철은 어려서도, 그리고 아직까지도 장난감 놀이를 제일 좋아했다. 장난감을 마음대로 이리저리 휘두르고 부수던 놀이가 어려서부터 얼마나 재미있던지. 표정이 시시각각 변하고, 비명을 지르고, 피를 흘리는 살아 있는 장난감은 그에게 훨씬 더 큰 즐거움을 주었다.

그 재미를 알고 나서부터 수철은 사람 장난감만 가지고 놀았다. 그는 하루는 장난감과 스파링을 했고, 하루는 장난감을 밀폐된 곳에 가뒀고, 하루는 장난감에게 벌레와 쓰레기를 먹였고, 하루는 장난감의 옷을 벗겨 사진을 찍었다.

그렇게 수철은 따분함을 해소하기 위해, 눈빛이 마음에 안 들어서, 그냥 어느 날 갑자기 눈에 띄어서 등의 사소한 이유로 자기보다 약한 사람들에게 고통을 주는 가학적 놀이에 중독되었다. 그리고 그런 짓을 반복하던 어느 날 그 일이 일어났다. 가장 아끼던 장난감 하나가 멋대로 혼자 망가져 버린 일.

그때 수철이 느낀 감정은 당혹스러움도 슬픔도 죄책감도 아니었다. 그저 그 장난감을 더 이상 가지고 놀 수 없다는 사실에 조금 짜증이 났을 뿐이었다. 수철은 곧바로 또 다른 장난감을 찾아 나섰다. 고장 난 장난감을 대체할 새 장난감은 도처에 널려 있었다.

희태는 책상 한쪽에 놓여 있던 태블릿을 집어 들어 그동안 조사한 수철의 기본 인적 사항과 그 외 정보들을 읊었다.

"어디 보자…… 이름 강수철, 나이 열여덟, 나이는 어리지만 무시할 수 없는 경력을 여럿 보유하고 있네요. 금품 갈취, 폭행, 강간 등을 상습적으로 저지르고도 아직 제대로 된 처벌은 한 번도 안 받았네요. 제가 또 사람은 참 잘 골라요."

희태가 수철을 힐끔 쳐다보며 말을 이어 갔다.

"학교에서 괴롭히던 학생이 시달리다 못해 자살까지 했는데 퇴학만 당하고 일이 마무리가 됐네요. 참 이런 걸 보면 법이 왜 있나 싶어요. 이런 사진들을 트로피인 양 저장해 놓은 걸 보면 죄책감이나 반성은 둘째치고 교화 가능성도 없어 보이는데 말이에요."

희태가 수철의 휴대 전화에서 옮겨 온 사진들을 태블릿으로 하나하나 넘기며 확인했다. 자살했다는 학생이 아주 지독하게 괴롭힘을 당하는 사진들이었다.

"그래도 덕분에 일은 훨씬 쉬워졌어요. 빽도 없이 혼자만 퇴학을 당해서 친구들과도 사이가 틀어지고 부모님과도 연을 끊었으니 갑자기 사라져도 아무도 모를 거 아니에요."

희태가 사진들에 열중해 있는 사이 수철이 할 말이 있다는 듯 읍 읍 소리를 냈다.

"하고 싶은 말 있으세요?"

수철이 얼른 고개를 끄덕였다.

"대신 소리 지르지 않기예요?"

수철이 다시 고개를 끄덕이자 희태가 그의 입에서 청테이프를 거칠게 떼어 냈다.

수철이 떨리는 목소리로 물었다.

"저한테 왜 이러시는 거예요. 혹시 성현이 가족분이세요? 성현이 제가 그런 거 아니에요. 저 때문에 죽었다고 유서가 나온 것도 아니잖아요. 저는 다른 애들이 성현이 괴롭힐 때도 진짜 그냥 옆에 서 있기만 했어요. 그러니까 제발 이것 좀 풀어 주세요. 네?"

수철이 있는 힘껏 몸을 흔들어 댔지만 바닥에 단단히 고정된 의자는 미동조차 하지 않았다.

"성현이? 아아, 그 자살한 친구 이름이 성현이였죠? 근데 이거 어쩌죠? 저는 성현이 가족이 아닌데."

희태가 수철의 표정을 살피며 말했다.

"기억 못 하시네요. 전 이거 주인인데."

희태가 수철의 손목에 둘려 있던 시계를 톡톡 건드리자 수철이 이제야 기억난다는 듯 황당한 표정을 지었다.

"저한테 엄청 소중한 시계거든요."

수철의 목소리가 가늘게 떨렸다.

"제가 잘못했어요. 시계 바로 돌려드릴게요. 돈이랑 지갑도 다 돌려드릴게요. 제발 저 좀 풀어 주세요."

희태가 재밌다는 듯 웃으며 대답했다.

"제가 설마 뺏긴 거 다시 돌려받자고 여기까지 데려왔겠어요?"

"제발 살려 주세요. 제가 잘못했어요. 다시는 안 그럴게요."

울먹이는 수철의 목소리를 희태가 우스꽝스럽게 따라 했다.

"제발 살려 주세요. 제가 잘못했어요. 다시는 안 그럴게요."

수철의 얼굴이 공포로 새파랗게 질렸다. 희태는 그런 수철을 보며 또 웃음을 터뜨렸다. 수철은 어쩐지 이 상황이 낯설지 않았다. 이 터무니없는 상황은 그가 그동안 장난감들을 가지고 놀 때와 비슷했다. 엉망이 된 장난감들이 그에게 울며 빌었을 때 그는 희태와 같은 반응을 보였었다.

"방법이 하나 있긴 해요."

희태의 말에 수철은 기대에 찬 눈을 반짝이며 그를 쳐다봤다. 희태는 책상 한편에 뒤집혀 놓여 있던 보드 판을 수철의 눈앞에 들이밀었다. 보드 판에는 1번부터 4번까지의 번호가 적혀 있는 사다리 타기가 그려져 있었다.

"짜잔~ 코카콜라 노래 알죠? '코카콜라 맛있다 맛있으면 또 먹어' 하는 거. 그걸로 번호 하나를 골라 주시면 돼요. 그럼 그 번호로 또 사다리 타기를 할 거예요. 재밌겠죠?"

생각지도 못했던 말에 수철은 어안이 벙벙했다.

"제발요. 제발 그냥 풀어 주세요. 진짜 절대로 신고 안 할게요. 저 진짜 믿으셔도 돼요."

"그니까 제가 말한 대로만 하면 된다니까요. 저도 진짜 믿으셔도 돼요. 빨리 안 고르시면 제가 맘대로 고릅니다?"

수철이 의심스러운 눈초리로 물었다.

"진짜 번호만 뽑으면 되는 거죠?"

"그렇다니까요. 그러니까 맘 바뀌기 전에 얼른 노래 불러 주세요."

사람 좋은 얼굴로 연신 고개를 끄덕이는 희태의 모습에 수철은 겁에 질린 목소리로 노래를 부르기 시작했다.

"코카콜라 맛있어. 맛있으면 또 먹어. 또 먹으면 배탈 나. 배탈 나면 약 먹어. 약 먹으면 무지 써. 딩동댕동 척척박사님. 알아맞혀 보세요."

벌벌 떨리는 수철의 목소리에 맞춰 희태가 1번부터 4번까지의 번호를 돌아 가며 짚었다.

"딩 동 댕 동~"

흥겹게 고개까지 까딱거리며 리듬을 타던 희태가 노래의 마지막 부분을 같이 따라 부르더니 신난 목소리로 말했다.

"3번이네요. 이제 사다리 타기만 하면 돼요."

종이 위에 선을 그어 만드는 일반적인 사다리 타기와는 달리, 희태가 만든 사다리 타기는 홈을 파서 만든 사다리를 따라 손잡이가 움직이는 방식이었다.

희태가 별안간 수철의 뒤통수를 움켜잡아 그의 머리를 책상 위 보드 판에 밀착시켰다. 갑작스러운 상황에 수철이 "악!" 소리를 내며 고통스러워했다.

"손잡이를 입으로 물어 주세요."

"네?"

"사다리 타기 해야 되니까 손잡이 입으로 무시라고요."

희태의 재촉에 수철은 겁에 질린 얼굴로 보드 판의 손잡이를 입으로 물었다.

희태가 수철의 뒤통수를 움켜잡고 그의 머리를 사다리 모양에 따라 이리저리 거칠게 움직였다. 수철의 머리가 손잡이와 함께 움직일 때마다 희태는 사다리 타기 노래를 흥얼거렸고, 수철은 괴로운 신음 소리를 냈다. 한참을 이리저리 움직이던 손잡이가 첫 번째 스티커에서 멈춰 섰다.

"자, 과연 척척박사님께서 어떤 걸 골라 주셨을까요. 두구두구두구 짠~"

희태가 떼어 낸 첫 번째 스티커 안에는 '네일 건'이라는 글자가 여러 개의 대못 그림과 함께 적혀 있었다. 희태가 움켜쥐고 있던 수철의 뒤통수를 놓자 수철이 옅은 신음 소리를 내뱉었다. 그의 입 안에선 비릿한 피 맛이 났다.

"와, 네일 건 당첨!"

수철이 불안한 얼굴로 말했다.

"번호 뽑았으니까 이제 풀어 주세요."

희태는 어처구니없다는 표정으로 대답했다.

"그게 무슨 말이에요. 네일 건이 나왔는데 어떻게 풀어 줘요."

"번호만 뽑으면 된다고 했잖아요! 장난치지 말고 이제 풀어 주세요!"

"장난친 적 없어요. 네일 건 말고 '축하합니다'라고 적힌 스티커를 고르셨으면 당연히 풀어 드렸겠죠. 물론 신고하지 않겠다는 말은 믿을 수 없으니까 눈도 뽑고, 혀도 자르고, 양손도 다 잘라야겠지만요."

수철이 허탈한 얼굴로 소리쳤다.

"진짜 저한테 왜 이러시는 거예요. 신고 안 한다고 했잖아요. 시계랑 지갑도 다 돌려드린다고요."

"에이, 왜 이러냐니요. 당신은 뭐 거창한 이유가 있어서 그렇게 사람들을 괴롭혔나요. 그냥, 정말 그냥 이러는 거죠."

"야, 이 개새끼야! 이거 빨리 풀어!"

수철이 악에 받쳐 고래고래 소리를 지르며 버둥댔다. 희태는 미간을 찌푸리며 수철의 입에 다시 테이프를 붙였다.

"근데 저 방금 좀 소름 돋았어요. 아니, 왜 그런 말이 있잖아요. '부모님 가슴에 대못 박는다.' 당신이 지금까지 얼마나 많은 사람들의 가슴에 대못을 박으며 살아왔으면 똑같은 방식으로 갚아 주라고 하시네요, 척척박사님이."

수철이 계속해서 악을 쓰며 결박을 풀기 위해 몸을 흔들어 댔다. 희태는 전혀 아랑곳하지 않고 말을 이어 나갔다.

"제가 어디서 읽었는데, 못이 머리에 열 개가 넘게 박히고도 살아남은 사람이 있대요. 그러니까 저도 딱 열 발만 쏠게요."

희태는 선반 위 상자에서 네일 건을 꺼내 들었다. 그리고 조금 멀리 떨어져 서서 수철을 향해 네일 건을 조준했다. 그가 방아쇠를 당기자 발사된 못이 날카로운 바람 소리를 내며 날아가 수철의 오른쪽 어깨에 깊숙이 박혔다. 수철이 고통스러워하며 비명을 질렀다.

"아아, 쏘리 쏘리. 조준이 엉망이네요."

희태가 수철에게 성큼성큼 다가가 네일 건을 그의 머리에 갖다 댔다. 수철의 얼굴엔 증오와 공포가 서려 있는 반면, 희태의 얼굴엔 호기심이 가득 차 있었다.

"근데요, 제가 당신을 조금만 더 일찍 죽였더라면 성현이라는 친구는 죽지 않았겠죠?"

수철의 눈에서 눈물이 하염없이 흘러내렸다. 희태는 수철의 눈에서 시선을 떼지 않은 채 다시 방아쇠에 손가락을 갖다 댔다.

네 개의 대못이 연속으로 발사되어 머리에 박히는 동안 수철은 짐승 같은 소리를 지르며 고통스러워했다. 그 뒤엔 네일 건이 다섯 번 더 발사되는 소리만이 허공에 울려 퍼졌다. 수철은 더 이상 몸부림치지 않았다. 희태는 실망한 표정으로 중얼거렸다.

"네 번밖에 못 버티네."

연습 게임

1.

어느 날 TV에서만 봤던 경찰 아저씨들이 우리 집을 찾아왔다. 아버지는 처음에는 도망치려 실랑이를 벌였지만, 이내 수갑이 채워지고 나서는 바닥에 엎드려 머리를 조아렸다. 집에서 항상 왕 노릇 하던 그는 경찰 아저씨들 앞에 선 한없이 비굴하고 초라한 인간이었다.

나를 끌어안은 엄마에게서 가냘픈 떨림이 전해져 왔다. 떨림을 주체할 수 없을 정도로 놀라고 무서웠음에도 내 눈과 귀를 막으며 나를 보호하던 엄마의 모습과 추하게 잡혀가던 아버지의 모습은 무척이나 대조적이었다.

그렇게 아버지가 사라진 자리엔 한동안 평화가 깃들었다. 집 안에서는 더 이상 큰 소리가 나지 않았고, 아무도 맞지 않아도 되는 나날들이 이어졌다. 하지만 어떻게 된 일인지 아버지는 또다시 우리에게 돌아왔다. 엄마의 논리대로라면 나쁜 사람들은 벌을 받고 착한 사람들은 복을 받아야 하는데, 이상하게도 아버지는 잡혀가고 풀려나기를 반복하며 계속해서 우릴 찾아와 우리의 행복을 방해했다.

엄마는 불합리한 상황 속에서 끊임없이 고통받으면서도 희망을 잃지 않고 꿋꿋이 버티는 쪽을 선택했다. 언젠가 선은 보답을 받고 악은 심판을 받을 거라고 믿었다. 하지만 아버지가 또 제대로 된 처벌을 받지 않고 다시 풀려나자 견고했던 엄마의 신념은 조금씩 금이 가기 시작했다.

더는 이렇게 살 수 없다고 생각했는지, 그때부터 엄마는 아버지를 가정 폭력으로 신고할 방법을 모색했다. 엄마는 시설의 도움을 받아 차근차근 증거를 모았고, 신고당한 아버지는 전과자라는 점이 불리하게 작용해 또다시 징역형을 받았다.

방해꾼이 사라지고 나면 내 세상엔 다시 엄마와 나 우리 둘만 남았다. 엄마는 혼자 가정을 지탱해야 하는 상황에서도 나를 바르고 선한 사람으로 키우기 위해 부단한 노력을 했다. 그때는 몰랐지만, 지금 생각해 보면 엄마가 현수와의 일에 그렇게 과민 반응했던 건, 혹시라도 내가 아버지의 폭력적인 성향을 물려받았을까 봐 두려워서였던 것 같다.

엄마는 그 일 이후에 내가 보였던 말과 행동이 그저 내가 너무 어려서, 내가 아직은 잘 몰라서 그랬던 거라고 믿고 싶어 했다. 무엇이 옳고 그른지, 어떤 상황에서 어떤 행동을 해야 맞는 것인지 하나하나 차근차근 배우다 보면 나도 다른 애들처럼 평범하게 살아갈 수 있을 거라고 믿었다.

엄마는 언제나 나와 약속을 했다. 새끼손가락을 걸고, 엄지손가락으로 도장을 찍고, 손바닥으로 복사를 한 약속은 반드시 지켜야 되는 중요한 약속이라고 했다. 나는 매일 밤 엄마와 다시는 다른 사람을 다치게 하지 않겠다는 약속을 하고 나서야 잠자리에 들 수 있었다. 나는 어쩌면 지겨울 수도 있는 그 의식을 꽤나 좋아했다. 남들은 알 수 없는 엄마와 나만의 비밀이 생긴 것 같아 즐거웠다.

하지만 그 행복도 역시나 오래 가지 못했다. 아버지가 출소할 날이 가까워지자 엄마는 병적으로 두려움에 떨기 시작했다. 아버지가 우릴 다시 찾아올 것이 두려워 멀리 떨어진 곳으로 이사까지 했지만, 아버지가 우리를 다시 찾아내기까지는 그리 오랜 시간이 걸리지 않았다.

짧은 징역형을 마치자마자 기어코 우리를 다시 찾아낸 아버지의 눈엔 전에 볼 수 없었던 살기가 서려 있었다. 그는 우리에게 가혹한 폭력을 쏟아 내며 그가 느낀 배신감을 표출했다.

법은 그렇게 가해자들을 교화시키지도, 피해자들을 끔찍한 악몽에서 벗어나게 하지도 못한다는 것을 실감했다. 어떻게 보면 범죄는 가해자들이 아닌 피해자들을 감옥 안에 가두는 것 같았다. 누구든 피해자가 되는 순간 트라우마라는 창살 안에 갇혀 다시는 예전의 삶으로 돌아가지 못하게 되니까.

그렇게 아버지의 모진 폭력이 엄마와 나를 만신창이로 만들어 놨을 때, 엄마의 눈빛은 내게 도움을 구하고 있었다. 적어도 나는 그렇게 생각했다. 그게 아니라면 내가 엄마와의 약속을 깨고 또다시 누군가에게 해를 끼치는 일은 없었을 테니.

마침 엄마와 아버지는 옥탑 담벼락 쪽에서 실랑이를 벌이고 있었다. 엄마는 아버지의 발길질에 이내 정신을 잃었고, 아버지는 제풀에 다리의 힘이 풀려 휘청거리고 있었다. 그리고 그 모든 걸 지켜보던 나는 그 찰나의 기회를 놓치지 않았다. 술에 거하게 취해 있던 아버지는 내 손짓 한 번에 튕겨 나가 힘없이 추락했다.

담벼락 너머로 쿵 소리가 들렸다. 아래를 내려다보니 아버지의 머리에선 물감 같은 새빨간 피가 흘러나오고 있었다. 흉하게 비틀어진 그의 관절 마디들이 살려 달라는 듯이 애처롭게 꿈틀거렸다. 나는 그 모습을 옥상에서 한참 동안 지켜봤다. 사람 목숨이 얼마나 질긴지 흘러나온 피가 빠르게 웅덩이를 이룬 후에도 아버지는 그 상태로 몇 분이나 더 살아 있었다.

아버지가 더 이상 움직이지 않는 것을 확인한 후에야 비로소 나는 근처 슈퍼로 뛰어가 도움을 요청했다. 억수같이 쏟아지던 비 덕분에 얼굴에 흐르던 물은 아마 눈물처럼 보였을 것이다. 내 다급한 부탁과 흉측한 몰골에 놀란 슈

퍼 사장님은 급히 구급차를 불러 주셨고, 그다음엔 모든 게 정신없이 빠르게 진행되었다.

그날 이후 엄마는 오랫동안 병원 신세를 졌고, 나는 한동안 경찰 아저씨의 질문들에 시달려야 했다.

"무슨 일이 있었던 건지 아저씨한테 이야기해 줄 수 있을까? 생각나는 대로 천천히 이야기해 주면 돼."

"아빠가 엄마랑 저를 막 때리다가 갑자기 옥상에서 떨어졌어요. 담벼락이 낮아서 위험한데 아빠가 술에 취해서 비틀거리다가 중심을 잃었나 봐요."

거짓말은 생각보다 어렵지 않았다. 울먹거리며 말하는 것도, 슬픈 척 연기를 하는 것도 착한 아이 행세보다는 훨씬 더 수월했다.

"엄마가 쓰러져 있어서 제가 혼자 뛰어 내려가 봤는데 아빠 머리에서 피가 많이 났어요. 너무 무서워서 바로 슈퍼로 가서 아저씨한테 신고 좀 해 달라고 부탁드렸어요."

경찰 아저씨는 묵묵히 내 이야기를 들으며 자그마한 수첩에 글씨를 끄적였다. 그러고는 무서웠을 텐데 용감한 행동을 했다며 내 머리를 쓰다듬어 주었다. 의식이 깨어나자마자 상황을 전해 들은 엄마는 내가 무사해서 다행이라며 울면서 나를 꼭 껴안았다.

그날, 난 마치 진짜 착한 아이가 된 것만 같은 기분이 들었다. 엄마도, 경찰 아저씨들도, 아무도 해내지 못하던 일을 내가 해냈던 것이다. 이제 더는 아버지가 우리를 찾아올까 봐 두려움에 떨며 살 필요가 없어졌다. 내가 한 일은 나쁜 짓이 아닌, 엄마와 나를 악당에게서 구해 낸 용감한 행동이었다.

실로 완벽했던 내 첫 살인이었다.

*

두 번째 기회는 그로부터 한참 뒤에나 찾아왔다.

성인이 되기까지 1년이 채 남지 않았던 무렵, 나는 도덕적 딜레마를 다룬 책을 읽고 있었다. 선, 악, 도덕, 부도덕. 그런 것들은 나에게 너무나도 모호한 개념이었다.

"브레이크가 고장 난 열차가 다섯 명의 일꾼들을 향해 돌진하고 있대. 그런데 선로 전환기를 당기면 그 다섯 명을 살릴 수 있는 대신 다른 선로에 서 있는 일꾼 한 명이 죽게 된대. 이럴 경우 엄마는 어떻게 할 거야?"

"음…… 다섯 명을 살리는 게 낫지 않을까?"

"그럼 만약에 열차를 멈추게 하기 위해선 엄마 옆에 서 있는 덩치 큰 남자를 선로 위로 밀쳐야 한다면? 남자를 밀쳐서 다섯 명을 살릴 거야?"

"어우, 그렇게는 못 하지. 그건 살인이잖아."

엄마의 반응은 책에서 설명한 내용과 비슷했다. 한 명을 죽게 할 것이냐, 다섯 명을 죽게 할 것이냐의 동일한 질문에 사람들은 상황에 따라 다른 답변을 내놓았다. 나는 이해가 안 된다는 표정을 지었다. 그러자 엄마는 이 질문에는 정해진 답이 없고 각자의 도덕적 기준에 따라 선택한 것이 맞는 답이라고 했다.

하지만 나는 그 말을 더 이해할 수 없었다. 사람마다 자신만의 기준이 있고 그것에 따라 선택한 것이 맞는 답이라면 엄마는 왜 자신의 기준을 나에게 강요하는 걸까?

엄마는 이따금 얼굴에 나를 향한 경멸, 적대감, 또는 두려움의 기색을 내비쳤다. 아마 엄마는 인지조차 못 했을 정도로 찰나의 순간 드러났다 사라졌던 그 감정들은 내게는 마치 슬로 모션처럼 고스란히 전해졌다.

여느 때와 같이 학교에서 야간 자율 학습을 마치고 집으로 돌아왔던 그날도 엄마는 그런 얼굴을 하고 있었다. 어린 시절 내가 인형을 기괴하게 망가뜨렸을 때나 가위가 얼마나 잘 드는지 확인해 보기 위해 키우던 앵무새의 날개를 몰래 잘랐다가 들켰을 때 내게 보였던, "넌 괴물이야."라고 말하는 듯한 얼굴이었다.

이번엔 또 뭐 때문에 그런 표정을 짓고 있었던 걸까. 엄마가 무엇을 봤든 엄마를 납득시킬 만한 이유를 대기 위해 바쁘게 머리를 굴리고 있는 내게 엄마는 잠시 바람 좀 쐬고 오겠다며 집을 나섰다. 내가 이해 못 할 행동을 보일 때마다 엄마는 생각을 정리한다는 핑계로 나와 같이 있기를 거부했다.

그래도 기다리고 있으면 금세 다시 돌아와 나와 눈을 마주 보며 내 행동이 왜 잘못되었는지 지적해 줬었는데, 그날따라 한참을 기다려도 엄마는 돌아오질 않았다. 한시라도 빨리 엄마와의 오해를 풀고 싶었다. 나는 엄마와의 약속을 여전히 잘 지키고 있다고. 엄마가 걱정하는 일은 일어나지 않을 거라고. 나는 괴물이 아니라고.

엄마가 날 바라보던 눈빛에 아무런 동요도 없었다고 하면 그건 거짓말이겠지만, 그래도 나는 아무렇지 않은 척 계속해서 변함없이 엄마를 사랑할 자신이 있었다. 근데 엄마는 아니었나 보다. 인사도 없이 나를 두고 영영 돌아올 수 없는 먼 길을 홀로 떠난 걸 보면.

그날 외출했던 엄마를 교통사고로 사망에 이르게 만든 건, 면허 취소 수준으로 술에 취해 있던 어느 젊은 남자의 소행이었다. 언젠간 나쁜 사람들은 벌을 받고 착한 사람들은 복을 받는다는 엄마의 신념에 비해 너무나도 초라하고 시시한 죽음이었다.

재판을 며칠 앞둔 어느 날 누군가 나를 찾아와 변호사라고 적혀 있는 고급 명함을 내밀었다. 그리고 엄마의 죽음에 애도를 표한다는 말과 함께 나를 찾아온 이유를 설명했다. 그는 그의 의뢰인, 곧 엄마를 죽게 만든 음주 운전자가 합의를 원한다고 했다.

"초범이라 어차피 징역 3년, 길어야 5년 정도밖에 안 나올 거예요. 억울해도 어쩌겠어요, 법이 그런데. 희태 군도 이제 다 컸으니까 앞으로를 생각해야죠. 합의금도 넉넉히 챙겨 드릴 테니까 이번 일은 조용히 마무리 짓는 게 어떨까요?"

합의는 성인이 될 때까지 보호자 노릇을 해 주기로 한 친척들에 의해 일사천리로 진행되었다. 어른들의 일이라며 그 과정에서 배제된 내게는 어떠한 결정권도 주어지지 않았다. 그들에게 내 의사는 중요하지 않았다.

이후 진행된 여러 차례의 재판에선 피고인이 자신의 잘못을 뉘우치고 있는 점과 이미 피해자 유족 측과의 합의가 이뤄진 점을 감안하여 집행 유예 선고가 내려졌다. 그래도 사람이 죽었는데 집행 유예라니. 엄마가 어떤 사람이었는지, 엄마가 내게 어떤 존재였는지 아무것도 알지 못하는 사람들이 도대체 무슨 권리로 고작 몇 가지 자료만을 가지고 엄마를 죽인 사람에 대한 처벌을 결정하는 걸까.

멀쩡한 정신으로 신호를 준수해 횡단보도를 건너던 엄마는 싸늘한 주검이 되었다. 그에 반해 술에 만취해 신호를 어기고 보행자에게 돌진한 범죄자는 제대로 된 처벌도 받지 않고 버젓이 여생을 살게 된 것이다. 세상은 여전히 내 논리로 이해할 수 없는 것들투성이였다.

나는 재판이 끝난 후에 엄마를 죽게 만든 그 사람을 몰래 미행했다. 그는 내가 뒤따라가는 것도 알아차리지 못하고 법원을 나서자마자 어디론가 전화를 걸었다. 엿들어 보니, 어쩌다 재수 없게 사고가 났지만 다행히 집행 유예로 마무리됐다고 했다. 일말의 반성이나 죄책감도 느껴지지 않는 목소리에 순간 분노가 치밀었다.

사과라도 받고 싶었던 걸까. 나도 모르게 그 사람을 붙잡아 세웠다. 그는 놀라더니 이내 나를 알아보고는 언짢은 얼굴을 했다.

“설마 지금 저한테 돈 더 뜯어내려고 이러시는 거 아니죠?”

그는 내가 기대한 것과 거리가 먼 소리를 했다.

“가족 잃고 힘든 건 알겠는데 솔직히 그쪽만 힘든 거 아니에요. 나도 괴로워요. 나도 피해자라고요. 합의금도 얼마나 어렵게 마련했는지 아세요? 그러니까 다시는 얼굴 볼 일 없었으면 좋겠네요. 제 말 알아들으셨죠?”

속이 울렁거렸다. 그 사람이 자리를 떠난 뒤에도 나는 한참을 그곳에 서 있었다. 어떤 선택을 내려야 할지 생각을 정리할 시간이 필요했다.

몇 달의 준비 기간 끝에 나는 그의 집 현관문 앞에서 그를 기다렸다. 그는 CCTV 카메라도 달려 있지 않은 낡은 빌라에 혼자 살고 있었다. 나는 숨어 있다가 그가 현관문을 열자마자 그에게 달려들었다. 크고 무섭게만 느껴졌던 기억 속의 아버지에 비해 성인 남자의 몸은 생각보다 약하고 가벼웠다.

뒤에서 목을 졸라 기절시킨 남자를 부축해 집 안으로 들어가니 강아지 한 마리가 낯선 나를 빤히 쳐다봤다. 강아지가 내 주위를 서성이다 거실 바닥에 놓여 있던 훈련용 버튼을 눌렀다. 버튼에선 그 남자의 목소리로 녹음된 음성이 흘러나왔다.

[간식 주세요.]

찬장을 뒤져 간식을 주자 강아지는 침입자인 나에게도 꼬리를 흔들어 주었다. 강아지가 간식을 먹는 사이 쪼그리고 앉아 다른 버튼들을 하나씩 차례대로 눌러 봤다.

[산책 가요.]

[사랑해요.]

[좋아요.]

[싫어요.]

[잘못했어요.]

나는 '잘못했어요.' 버튼을 집어 들어 남자의 몸 가까이로 옮겼다. 그의 손가락을 집어 위로 올렸다가 놓자 그의 팔이 힘없이 떨어지며 바닥에 놓인 버튼을 눌렀다. 동시에 '잘못했어요.' 소리가 집 안에 울려 퍼졌다.

엄마가 지금 내 모습을 본다면 이번엔 어떤 눈으로 나를 볼까. 그냥 이대로 돌아갈까 잠시 고민이 됐다. 이 사람을 죽인다고 해서 죽은 엄마가 다시 살아 돌아오는 것도 아닌데 이게 무슨 의미가 있나 싶었다.

엄마는 항상 내게 말했다. 악은 모래 위에 성을 쌓는 것과도 같다고. 모래 위에 빠르고 쉽게 쌓아 올린 성은 당장은 으리으리하고 근사해 보일 수 있겠지만, 그렇게 지어진 성은 어느 날 한순간에 와르르 무너지게 될 거라고. 반대로 선은 튼튼한 기초 위에 집을 짓는 것과 같다고 했다. 그것은 매우 더디고 많은 노력이 필요하지만, 그렇게 지어진 집은 결코 쉽게 무너지지 않을 거라고 했다.

내가 만약 정말 엄마가 바라던 대로 평범하고 선한 사람이었다면, 그래서 엄마를 죽인 사람을 쉽게 용서할 수 있었다면, 과연 선은 느리고 더디지만 언젠가는 엄마를 죽게 만든 그 사람에게 벌을 내리고, 내가 엄마 없이 괴로움 속에 보내게 될 시간들을 보상해 줄 수 있을까.

엄마에게 묻고 싶었다. 엄마는 내가 아는 가장 지혜로운 사람이었으니까. 하지만 더 이상 내 곁엔 방향을 제시해 줄 엄마가 존재하지 않았다. 내 기준에 따른, 내가 정하는 선과 악이 이제는 내 법이자 정답이었다.

나는 남자를 거실 천장에 매달아 자살처럼 보이게 만들었다. 신기하게도 마음속에 아무런 동요도 일어나지 않았다. 동정심도, 죄책감도, 후련함도, 아무것도 느껴지지 않았다. 그저 해야 할 일을 해냈다는 생각만 들었다.

집으로 돌아오는 길에 문득 엄마가 과연 나를 정말 사랑했을까 하는 의문이 들었다. 나는 지금껏 엄마와의 약속을 지키기 위해 내 본능까지도 억누를 만큼 엄마를 사랑했는데, 엄마는 어땠을까. 기쁠 때나 슬플 때나, 건강할 때나 아플 때나 변함없이 상대방의 모든 모습들을 사랑할 수 있는 게 진짜 사랑이라던데, 남들과 다른 내 모습을 억누르고 숨기기에만 급급했던 엄마는 나를 사랑하기는 한 걸까.

하지만 그건 이제 아무런 의미 없는 질문에 불과했다. 엄마는 이제 내가 무슨 말을 하든, 어떤 행동을 하든 사진 속에서 영원히 웃는 얼굴로 나를 반겨 줄 테니.

2.

엄마를 잃은 내 세상은 한동안 적막했고, 나는 키가 없는 돛단배처럼 방향을 잡지 못하고 목적 없이 둥둥 떠다녔다.

그렇게 내가 방황할 무렵 내 앞에 나타난 사람이 바로 유원이었다. 나는 성인이 될 때까지 외삼촌 집에 머물러야 했고, 외삼촌 집과 가까운 학교로 전학을 가야 했다. 학교 급식실에서 혼자 밥을 먹고 있던 내게 유원은 먼저 다가와 말을 걸었고, 우리는 금세 친구가 되었다.

아직 친구를 사귀지 못한 내게 먼저 손을 내민 유원은 엄마가 평소에 강조하던 이상적인 인간상에 가까운 사람이었다. 그는 정이 많고, 자기 사람들을 챙길 줄 아는 따뜻한 사람이었다. 하지만 동시에 그는 자신의 욕망에 솔직하고 본능에도 충실했다.

유원은 혼자 밥을 먹던 내게 다가와 친구가 되어 줄 만큼은 친절했지만, 심하게 괴롭힘을 당하던 동급생을 나서서 도와줄 만큼 희생적이지는 않았다. 불의를 증오했으나 강자에게 맞서지는 않았고, 정의가 구현되는 사회를 꿈꿨으나 그것을 스스로 실천하지는 않았다.

그럼에도 그는 내게 필요한 부분들을 채워 줄 수 있는 사람이었다. 유원의 어머니는 종종 나를 집으로 초대해 저녁 식사를 차려 주셨고, 나를 친아들처럼 챙겨 주셨다. 유원의 여동생 또한 나를 친오빠처럼 스스럼없이 대했고, 덕분에 내게 큰 구멍으로 남아 있던 엄마의 빈자리는 그들의 배려로 조금씩 채워져 갔다.

유원의 집은 형편이 넉넉하진 못했지만 항상 시끌벅적했고 웃음이 가득했다. 서로를 아끼고 사랑하는 게 내 눈에도 보일 정도로 그들은 이상적인 가정을 이루고 있었다.

나는 그들의 행복을 마치 내 것인 것처럼 공유했다. 그들이 웃을 땐 나도 웃었고, 그들이 슬플 땐 나도 입꼬리를 늘어뜨리며 안타까운 표정을 지었다. 이해와 공감은 평범한 사람들에게만 허락된 특권이었고, 그들의 감정을 공유하며 그들의 삶 속에 점점 더 깊숙이 침투할 때마다 난 정말로 평범한 사람이 된 것만 같았다.

유원이 처음으로 내게 자신의 아버지에 대한 이야기를 해 주었을 때가 기억난다. 유원의 가족은 오랫동안 사채 빚에 시달렸다고 했다. 몇 년의 고생 끝에 빚은 다 상환했지만, 유원의 아버지는 빚 대신 병을 얻었고, 다시는 예전의 삶을 되찾지 못했다.

유원의 가족을 빚더미에 앉게 한 건 아버지의 오랜 친구였다고 했다.

"그 사람은 징역 3년 채우고 나와서 자기는 죗값 다 치렀다고 생각하면서 살겠지? 우리 아빠는 고생만 하다 돌아가셨는데."

유원은 왜 이런 불합리한 일들이 자신의 가족에게 일어나야만 하는지 가슴이 너무 답답해서 가끔은 그냥 죽어 버리고 싶다고 했다.

"죽긴 왜 죽어. 차라리 죽여야지."

내가 위로랍시고 건넨 말에 유원이 헛웃음을 치며 대답했다.

"야, 죽이고 싶은 놈들 다 죽이고 감옥 가면 엄마랑 유현이는 어떡하냐? 현실을 생각하면 복수 같은 건 사치야."

유원의 씁쓸한 미소가 자꾸만 눈앞에 아른거렸다. 그의 슬픔에 공감했다거나 하는 거창한 이유는 아니었다. 나는 그저 그에게 보답을 하고 싶었다. 은혜는 은혜로 갚는 게 사람의 도리라고 엄마가 내게 항상 당부했었으니까. 유원이 진심으로 바라고 나만이 해 줄 수 있는 것. 그것은 딱 한 가지뿐이었다.

어느 날 유원의 아버지를 죽게 만든 그 사람은 어느 으슥한 골목길에서 벽돌로 수차례 가격당해 살해되었다. 그리고 뒤늦게 그 소식을 전해 들은 유원은 곧바로 나를 찾아와 자신의 속마음을 털어놨다.

"인과응보라는 게 정말 있나 봐. 이러면 안 되는 거 알면서도 기분이 너무 통쾌해."

유원은 감정에 북받쳐 울다가 내게 물었다.

"그래도 사람이 죽었는데, 나 되게 별로인 인간이지?"

"아니야. 어떤 마음인지 충분히 이해해. 누가 뭐래도 나는 네 편이야."

"고마워……."

"너는?"

"응?"

"너도 무슨 일이 있어도 내 편 되어 줄 수 있어?"

"그럼, 당연하지. 나도 그럴게."

혹시나 유원도 엄마처럼 날 떠나갈까 봐, 날 괴물 취급할까 봐 조마조마했던 마음이 기분 좋은 전율로 뒤바뀌었다.

유원은 달랐다. 사실 누구보다 아버지의 죽음을 기뻐했으면서 아버지를 죽인 나는 받아들이지 못했을 이중적인 우리 엄마와는 달랐다. 마냥 선하지만은 않아 어느 정도의 악도 용납할 수 있는 유원의 연약한 균열이 내게는 쉽게 파고들 수 있는 틈으로 보였다. 이번에야말로 나를 있는 그대로 받아들여 줄 수 있는 사람을 찾아낸 것만 같았다.

유원의 복수가 간접적으로 이루어졌던 날 그가 펑펑 울던 모습이 종종 내 머릿속에서 재연되며 나를 그 순간으로 다시 데려갔다. 유원의 눈물을 본 순간 나는 알 수 있었다. 이것이 내가 나라는 존재 그대로 이 세상에서 살아갈 수 있는 유일한 방법임을.

선하고 정의로워야만 영웅이 되는 건 아니었다. 악당을 처단하는 사람이야말로 진정한 영웅이다. 죄 없는 사람을 죽이는 건 용서받지 못할 일이지만, 죽어 마땅한 사람을 죽이는 건 정당한 것이 될 수 있다.

같은 살인이라도 대상에 따라 정반대의 평가를 받는 그 모순점은 나를 괴물이 아닌 영웅으로 탈바꿈시키기에 충분했다. 악당을 물리치는 히어로를 응원하고, 잔인한 복수를 감행하는 주인공에게 공감하는 이 사회는 어쩌면 나에게도 그런 관용을 베풀지 않을까 하는 막연한 기대를 품게 했다.

법이 단죄하지 못한 범죄자들을 타깃으로 하는 건 평범한 삶을 꿈꾸는 내가 이 세상을 살아가기 위해 바치는 상납금과도 같았다. 세상에 숨어 사는 괴물들을 제물로 바침으로써 나는 내가 세상에 이로운 존재라는 사실을 입증할 수 있는 것이다. 그러니 치팅 데이를 정해 범죄자들을 처단하는 건 나에게는 사명과도 같다.

대상을 정하는 기준은 타인에게 스스럼없이 해를 끼치는 인간들이다. 과연 이 사람이 죽음으로써 슬퍼할 사람들이 더 많을까 아니면 기뻐할 사람들이 더 많을까라는 질문에 주저 없이 후자를 고를 수 있는 그런 해로운 인간들, 존재하는 이유를 댈 수 없는 가치 없는 인간들이다. 그리고 그들은 내가 굳이 찾으려고 노력하지 않아도 알아서들 내 눈앞에 나타나는 편이다.

이건 게임과 같다. 타깃 선정은 항상 신중하게 해야 한다. 아무도 찾지 않을 사람 혹은 잠적할 소지가 다분한 사람이 안전하지만, 조건에 맞는 타깃을 선정할 수 없을 땐 사고나 자살로 위장하는 것도 좋은 방법이다. 주위 사람들은 되도록 건드리지 않는 것이 좋다. 내가 연관될 수 있는 가능성을 남기는 건 위험 부담이 크다. 제일 중요한 건 시체 처리다. 시신만 발견되지 않는다면 꼬리를 밝힐 가능성은 매우 적다.

사람들은 모를 것이다. 내가 세상을 매일매일 조금씩 더 살기 좋은 곳으로 만들고 있다는 사실을. 나를 살인자라고 손가락질할 사람들에게 굳이 내 역할을 이해시킬 필요는 없다. 나는 나만의 신념을 가지고 나만의 선을 이루어 갈 테니까.

초대받지 않은 손님

1.

동규는 얼떨결에 떠맡게 된 일로 인해 현장에 나와 있었다. 보험 사기가 의심되는 사건이었다. 강력계 경찰이라는 직업 특성상 그는 매번 흉악한 사건들에 배정되어 왔지만, 보험 살인 사건은 그중에서도 제일 꺼려지는 사건 중 하나였다. 보험 회사는 어떻게든 보험금을 안 주려 하고, 보험 수익자는 어떻게든 받아 내려고 하는 진흙탕 싸움의 승자를 가려야 하는 아주 골치 아픈 사건이기 때문이다. 보험금을 타기 위해 가족을 죽였을지도 모르는 사람들과 대면하는 것 또한 별로 유쾌한 경험은 아니다.

"한 형사!"

저쪽에서 손을 흔들며 동규에게 다가오는 한 남자가 보였다. 강석이었다. 강석은 경찰 퇴직 후 보험 회사에서 일하고 있는 동규의 선배였다.

"아, 신 형사님!"

"형사 그만둔 지가 언젠데. 그냥 편하게 불러."

"너무 오랜만이에요. 잘 지내셨죠?"

"그럼, 잘 지냈지. 한 형사도 별일 없지?"

"네, 그냥 매일 정신없죠, 뭐."

"오느라 고생 많았어. 바쁠 텐데 불러내서 미안해."

"무슨 말씀을요. 선배님이 부르시면 언제든지 와야죠."

강석이 동규의 어깨를 툭툭 치며 말했다.

"고마워. 내가 일 마무리되면 밥 한번 살게."

"하하, 감사합니다."

서로의 안부를 물은 다음 동규는 곧바로 본론으로 들어갔다.

"어떤 사건이에요?"

"사망자는 남편이고, 보험 수익자는 아내로 되어 있어. 사망 원인은 일산화탄소 중독."

강석이 동규에게 두툼한 서류를 건네며 말을 이어 갔다.

"애가 태어나고 나서 부부가 같이 생명 보험을 들었다고 하더라고. 둘 중 한 명이 사망할 경우에 다른 한 명이 보험금을 수령해서 아이와 함께 생계를 유지할 수 있게끔."

동규가 건네받은 서류를 확인하며 대답했다.

"둘 다 보험 가입한 지 5년도 넘었네요?"

"응, 생명 보험을 몇십 개씩 들어 놨다거나 수입보다 많은 보험료를 무리하게 납입한 것도 아니야."

이번 사건은 초기 수사에서 이미 사고사로 결론 내려진 사건이었다. 보험 회사 쪽에선 어떻게든 의심부터 하고 보는 게 당연하지만, 서류상으로만 봤을 땐 딱히 혐의점이라고 여겨질 만한 부분이 없었다.

"그래도 어딘가 의심스러운 부분이 있어서 수사 협조 요청하신 거죠?"

"응, 그냥 내 촉이 그래. 뭔가 꺼림칙하달까. 이상하게 마음에 걸려."

동규가 곤란한 얼굴을 했다. 오랜 경험으로 다져진 촉을 무시할 수는 없지만, 촉만으로 수사를 진행할 수는 없는 노릇이었다. 의심을 확신으로 바꿔 줄 결정적인 증거가 필요했다.

"알겠습니다. 일단 조사해 보고 뭐 나오는 거 있으면 바로 연락드릴게요."

"응, 고마워. 부탁 좀 할게."

*

수진은 요즘 한껏 날이 서 있었다. 가입할 때만 해도 보험 혜택을 줄줄이 설명하던 보험 회사는 보험금을 청구하자마자 무섭게 돌변하더니 그녀를 적으로 돌렸다. 아무리 결백을 주장해 봐도 소용이 없었다. 이미 그들에게 그녀는 보험금을 타기 위해 남편을 살해하고 사고사로 위장한 비정한 살인마였다. 그것도 모자라 그들은 자신들의 주장을 뒷받침할 증거를 찾는다는 핑계로 남편을 잃고 슬픔에 잠긴 수진의 그간 행적들을 이리저리 들쑤시고 다녔다.

일을 마치고 집으로 향하는 수진의 발걸음이 무거웠다. 그녀의 집은 버스 정류장으로부터 거리가 꽤 떨어져 있었다. 큰길을 지나 한참을 걸어 경사진 언덕까지 넘어야 하는 멀고 고달픈 길을 걷다 보니 수진은 늦은 시간이면 매번 자신을 데리러 나왔던 남편이 떠올랐다. 항상 자신보다 수진을 우선으로 여기던 다정한 사람이었다.

끝없는 오르막길만이 펼쳐져 있는 이 비탈진 언덕은 험난하기만 했던 수진의 인생과 닮아 있었다. 평탄하기만 바랐던 그녀의 인생이 꼬이기 시작한 건 원치 않았던 임신에서부터였다.

생명은 얼마나 고귀한가. 꼬박 열 달을 품고 있던 한 생명이 자신의 몸을 통해 이 세상에 피어나던 순간, 수진은 태어나서 단 한 번도 느껴 보지 못했던 감정에 휩싸였다. 인간으로서 평생 이보다 더 황홀한 감정을 느낄 수 있을까.

하지만 그와 별개로 엄마가 된다는 건 너무나도 무거운 책임감을 요구했다. 호흡조차 불안정한 작고 연약한 아이의 방패막이가 되어 험한 세상으로부터 아이를 지켜 내야 하니 말이다.

수진도 처음엔 아이의 모든 모습이 다 신비롭고 사랑스러웠다. 자신의 새끼손가락을 움켜잡는 자그마한 손부터 한 번도 땅을 디딘 적 없는 보드랍고 폭신한 발바닥, 눈물을 머금은 가녀린 속눈썹, 모유를 갈구하는 동그란 입술, 그리고 쉴 새 없이 움직이는 얼굴 근육 하나하나까지.

하지만 모성애인 줄 알았던 그 마음은 어느새 온데간데없이 사라져 버렸다. 밤낮없이 목청껏 질러 대는 울음 소리, 두 시간 간격의 모유 수유, 매번 대충 때워야 하는 끼니, 밀려 가는 집안

일, 바닥을 치는 자존감, 벌이가 시원찮은 남편. 수진은 점점 모든 것에 지쳐 갔다.

그래도 시간이 지나면 조금 나아지겠지 하며 한 달 두 달 버텨 봤지만 야속하게도 모성애는커녕 남편과 아이에 대한 원망만 더 커져 갔다. 어느새 가족은 축복이 아닌 짐이 되어 버렸다. 수진은 이대로 살다간 자기 자신을 영영 잃어버리게 될 것만 같았다. 그녀는 다시 한번 자유로워지고 싶었다.

새로운 시작을 위해선 돈이 필요했다. 그녀는 만약 불의의 사고로 둘 중 한 명이 세상을 먼저 떠나게 되면 남은 한 명은 어떻게든 아이와 함께 살아가야 하지 않겠냐며 남편을 설득했다. 번지르르한 말 속에 숨겨진 시커먼 속을 미처 보지 못했던 남편은 그 제안을 흔쾌히 승낙했고, 그렇게 그녀는 아이를 위한다는 명목하에 남편과 함께 사망 보험에 가입했다.

그 뒤로는 기나긴 인내의 시간이었다. 사망 보험에 가입하자마자 일을 저질러 의심을 살 순 없었기 때문에, 그녀는 먹이를 사냥하기 전 발톱을 숨기는 맹수처럼 행동했다. 이웃들이 부러워할 만큼 좋은 아내, 좋은 엄마를 연기하다 먹이들이 방심하고 등을 보였을 때 쥐도 새도 모르게 먹어 치워 버릴 심산이었다.

수진은 디데이를 기다리는 동안 차분하게 범행을 계획했다.

'사람 안 들키게 죽이는 방법'을 검색하지 않고도 들키지 않게 남편을 죽여야 했다. 제일 좋은 건 사고사였다. 영화처럼 청부 살인이니 뭐니 일을 크게 키우는 도박을 할 순 없었다. 누구의 도움도 받지 않고 스스로 해내야만 했다.

수진은 확실한 방법이 필요했다. 어찌어찌 남편을 죽이는 데 성공한다고 해도 보험금을 무사히 받아 낼 수 있을지는 또 다른 문제였다. 자살 위장은 보험금이 안 나올 테고, 창문에서 밀어 버리자니 같이 있었던 자신이 의심받을 테고, 교통사고로 위장하기는 쉽지 않을 테고, 음식에 약을 탄다고 해도 부검이 진행되면 모두 들통날 게 뻔했다.

어떤 방법이 좋을까 매일같이 고민하던 중 수진이 접하게 된 것은 바로 가스 안전 점검 영상이었다. 영상은 최근 기름보일러에서 새어 나오는 일산화탄소 중독으로 인한 사고가 빈번하게 일어난다는 내용으로 시작되었다. 우연히 보게 된 그 영상은 온갖 유익한 내용들로 넘쳐 났다. 영상에선 전문가가 나와 기름보일러 안전 점검 방법을 설명했다. 전문가는 어느 부분이 가스가 새기 쉬운지, 또는 어떻게 가스가 새는 여부를 확인해야 하는지 등의 고급 정보들을 소개했다.

수진은 영상에서 얻은 정보들을 토대로 남편을 살해할 계획을 짜기 시작했다. 어느 정도 계획에 틀이 잡히자 수진은 디데이에 맞춰 남편에게 시골에서 휴가를 보내자고 제안했다. 드디어 고대하던 날이 되어 가족들과 시골에 도착한 수진은 제일 먼저 장거리 운전으로 녹초가 된 남편을 방에 재웠다. 제일 중요한 보일러는 이미 꼼꼼히 손봐 둔 상태였다.

언제 고장 나도 이상하지 않을 오래된 기름보일러, 장시간 이어진 운전으로 인해 시골에 도착하자마자 잠에 곯아떨어진 남편, 게다가 그는 요즘 강도 높은 업무에 시달리고 있었다고 나중에 진술될 예정이었다. 모든 게 다 수진이 계획한 대로 설계가 된 상황이었다.

남편이 잠든 것을 확인한 수진은 아이를 데리고 집을 나섰다. 가족이 사고를 당했는데 혼자만 피해 있었다는 시나리오보다는 아이와 함께 밖에 있었다는 쪽이 더 자연스럽게 느껴졌다.

"아빠는?"

"아빠는 운전을 오래 해서 피곤하신가 봐. 산책은 우리끼리 갔다 오자."

수진이 다정한 얼굴로 아이의 손을 잡았다. 신이 나서 조잘거리는 아이의 얼굴을 보며 수진은 속으로 보험금을 수령해 떵떵거리며 사는 상상을 했다. 매달 생활비를 걱정해야 하는 이 구질

구질한 삶도 곧 있으면 안녕이었다.

하지만 즐거운 상상은 얼마 못 가 깊은 근심으로 바뀌었다. 가스는 잘 새고 있을까, 지금쯤이면 죽었을까. 산책을 하는 내내 수진의 머릿속이 여러 걱정들로 복잡했다. 그녀는 혹시라도 남편에게 연락이 올까 봐 계속해서 초조하게 휴대 전화를 확인했다.

수진이 아이와 함께 긴 산책을 마치고 집으로 돌아갔을 땐 다행히도 이미 모든 게 다 끝나 있었다. 수진은 남편이 죽은 것을 확인하고 나서야 다급하게 환기를 시키고 119에 신고를 했다. 떨리는 목소리로 울며 도움을 청하는 수진의 입가엔 섬뜩한 미소가 서려 있었다.

모든 게 다 수진의 계획대로 이루어졌다. 그녀가 짠 시나리오대로 이 일은 화목하고 단란한 가정이 하루아침에 가장을 잃게 된 비운의 사고로 비쳤다. 덕분에 수진은 조문객들의 금전적인 위로도 쏠쏠히 챙길 수 있었다.

더 이상 눈치 볼 사람도 없겠다 수진은 장례 절차가 끝나자마자 아이를 방 안에 가두고 학대를 가하기 시작했다. 계획을 실현시키기 위해 오랫동안 인내해야 했던 분풀이였다.

수진은 그렇게 천천히 자신의 인생을 되찾아 갔다. 이제 그녀에게 남은 건 사망 보험금 수령뿐이었다.

2.

희태의 능숙한 칼질 소리가 텅 빈 교실 안에 서걱서걱 울려 퍼졌다. 몇 시간의 노동 끝에 탄생한 종이로 만든 나무 작품이 교실 뒤편 게시판을 가득 채웠다.

나무 작품은 아이들이 교실에 들어서자마자 그 존재를 알아차릴 수 있을 만큼 커다랗고 화려했다. 가느다란 줄기를 사방으로 길게 뻗은 앙상한 나무는 내일이면 아이들이 만든 종이접기 잎사귀로 도배되어 더 근사한 자태를 뽐내게 될 것이다.

발령 후 정신없던 첫 학기 3월을 무사히 보내고, 이젠 벌써 5월을 앞두고 있었다. 제일 걱정했던 학부모 상담까지 마치고 나니 이제야 마음의 무거운 짐이 덜어지는 듯했다. 아이들을 대하는 것과 마찬가지로 학부모들을 대하는 것 또한 매우 고되고 많은 인내심을 요구하는 일이었다. 희태는 적당한 관심과 지나친 간섭을 구분하지 못하는 학부모들을 대처하는 요령을 점점 터득해 나가는 중이었다.

교실 꾸미기를 모두 마친 희태는 곧장 집으로 가지 않고 산책을 할 요량으로 조금 더 멀리 돌아서 가는 길을 선택했다. 바깥은 어느새 해가 일찍 자취를 감추고 저녁 어스름이 짙게 깔리고 있었다. 봄의 끝자락임에도 불구하고 여전히 들이마시는 숨에 코가 시큰해지고 내쉬는 숨에 입김이 피어나는 쌀쌀한 날씨였다.

희태는 아무리 바쁘더라도 매일 아침 일찍 또는 저녁에 거르지 않고 운동을 했다. 완벽한 치팅 데이를 위해선 운동으로 다져진 빠르고 강한 몸이 필요했다.

희태에게 치팅 데이라는 것을 처음 알려 준 사람은 고등학교 1학년 때 옆자리 짝으로 만난 혜진이라는 이름의 여자애였다. 한창 외모에 관심이 많을 나이였던 혜진은 학기 첫날부터 혹독한 다이어트에 돌입한 상태였다.

그녀는 한 달에 한 번 치팅 데이를 정해 달력에 표시해 놓고, 그날 먹고 싶은 것들을 하나하나 연습장에 적어 가며 배고픔을 달래곤 했다. 혜진은 매일 교실에 도착하자마자 어제 하루를 계획대로 잘 보냈으면 참 잘했어요 도장을, 실패한 날은 꽝 도장을 쿡 찍었다. 열심히 짠 계획과는 달리 혜진의 달력은 매달 참 잘했어요 도장보다 꽝 도장이 훨씬 더 많이 찍혀 있었다.

산뜻한 바람을 쐬며 걷다 보니 살짝 어지러웠던 희태의 머리가 조금씩 맑아지는 듯했다. 그가 정처 없이 걷던 곳은 그가 사는 곳에서 꽤나 멀리 떨어진 후미진 동네였다. 지나다니는 사람도 보이지 않고 차 소리도 들리지 않는 어두컴컴하고 고요한 거리였다.

그는 동네 주변의 지리를 익히고 다음 계획을 실행할 장소를 물색하기 위해 일부러 인적이 드문 곳으로 산책을 하는 편이지만, 이곳은 정말 누구 하나 죽어 나가도 모를 정도로 으슥한 동네였다.

희태는 별안간 인기척을 느끼고 뒤를 돌아봤다. 분명히 누군가 있는 것 같았는데 아무것도 보이지 않았다. 다시 길을 걷다가 여전히 느껴지는 인기척에 또 한 번 뒤를 돌아본 순간, 고양이 한 마리가 그의 옆을 쌩 지나 골목길 안으로 들어갔다.

"어우, 깜짝이야."

그는 발소리를 죽인 채 고양이를 따라 조용히 골목길 안으로 들어갔다. 회색빛 털을 가진 뚱뚱한 고양이는 사람을 무서워하지도 않는지 뒤쫓아오는 희태를 보고도 도망가지 않고 멀뚱멀뚱 쳐다보기만 했다.

희태는 웅크리고 앉아 고양이를 쓰다듬었다. 골목길 안엔 쓰레기들이 널브러져 있었다. 희태가 그의 옆에 버려져 있던 갈색 종이봉투를 만지작거리다 고양이 머리 위에 확 씌웠다. 눈과 입 부분에 구멍을 낸 종이봉투를 뒤집어쓴 고양이는 마치 복면을 쓴 강도처럼 보였다. 장난기가 발동한 희태는 목소리를 낮게 깔고 고양이 목소리를 흉내 내며 말했다.

"꼼짝 마. 가지고 있는 거 다 내놔."

"으악, 여기요. 다 가져가세요."

1인 2역을 하던 희태가 겁에 질린 시늉을 하며 자신의 가방에서 츄르를 꺼내 고양이에게 내밀었다. 때마침 전에 집 근처에서 만난 고양이에게 주려고 사 둔 게 있었다.

순간, 또 다른 인기척이 느껴져 뒤를 돌아보니 그곳엔 어린 남자아이가 서 있었다. 아직 쌀쌀한 날씨에도 불구하고 반팔 티셔츠에 반바지 차림을 한 마르고 작은 아이였다. 희태는 상황극을 들켜 창피한 듯 멋쩍은 표정을 지으며 아이에게 말을 걸었다.

"고양이 보러 왔어?"

아이가 고개를 끄덕였다.

"안 추워?"

아이는 대답 대신 입을 꾹 다물었다. 희태가 가방에서 츄르를 하나 더 꺼내 들었다.

"하나 더 있는데, 한번 먹여 줘 볼래?"

아이가 눈치를 보며 쭈뼛거리다 희태에게 다가와 츄르를 건네받았다. 희태 앞에 있던 고양이가 새로운 츄르를 따라 아이 쪽으로 사뿐사뿐 이동했다. 아이는 호기심 어린 얼굴을 하고 신기한 듯 이리저리 고양이를 관찰했다.

아이가 고양이를 관찰하는 동안 희태도 조심스럽게 아이를 관찰했다. 가까이서 보니 아이는 오랫동안 씻지 않은 듯한 행색을 하고 있었다. 아이가 움직일 때마다 커다란 반팔 티셔츠 안으로 보이는 삐쩍 마른 몸은 온통 멍투성이였다. 무시할 수 없는 정황들에 희태의 얼굴이 굳어졌다.

"야! 여기서 뭐 해?"

갑자기 어디선가 여자의 앙칼진 목소리가 들려왔다. 희태와 아이가 뒤를 돌아본 자리엔 잔뜩 화가 난 수진이 서 있었다.

"이리 와, 빨리."

수진의 날카로운 목소리에 아이가 놀라 몸을 움찔거렸다.

"빨리 안 와?"

아이가 겁먹은 표정으로 쭈뼛쭈뼛 수진에게 다가갔다. 수진이 기다리다 못해 아이의 팔을 거칠게 끌어당기며 말했다.

"방에서 나오지 말라고 했지. 하여간 지 아빠 닮아서 하지 말라는 짓만 골라서 한다니까."

수진과 아이의 모습을 지켜보던 희태의 얼굴이 점점 더 굳어져 갔다. 지금 아이가 보이는 표정과 행동은 보통의 아이가 엄마를 대하는 반응이 아니었다.

"이봐요."

수진의 앙칼진 목소리가 이번엔 희태를 향했다.

"네?"

"그거 그쪽 고양이 아니죠?"

수진이 한껏 찌푸린 얼굴로 고양이를 가리키며 물었다.

"아, 네……."

대답과 함께 희태의 시선이 다시 아이에게로 향했다. 아이는 추운 건지 무서운 건지 몸을 바들바들 떨고 있었다.

"길고양이한테 그렇게 간식을 주면 어떡해요? 그러니까 걔들이 자꾸 여기를 어슬렁거리지."

희태가 속으로 '하나' 하고 숫자를 셌다.

"죄송합니다."

"고양이들이 쓰레기봉투도 다 뒤져 놓고 밤마다 소름 끼치는 소리 내는 게 얼마나 스트레스인 줄 알아요?"

삿대질까지 해 대며 짜증을 내는 수진의 말에 희태가 마음속으로 '둘' 하고 다시 숫자를 셌다.

"아……, 제가 거기까지는 생각을 못 했네요. 죄송합니다."

"알아들었으면 바닥에 쓰레기 버리지 말고 거기 있는 담배꽁초도 다 주워 가세요. 고양이도 쫓아 버리시고요. 다시는 고양이한테 간식 주는 거 보는 일 없었으면 좋겠네요. 그렇게 걔들이 불쌍하고 안타까우면 집으로 데려가서 키우시든가. 다른 사람들한테까지 피해 주지 마시고요."

수진이 카랑카랑한 목소리로 속사포 쏘듯이 잔소리를 해 댔다.

"담배는 제가 피운 게 아닌데……."

"그럼 제가 치워요? 그냥 쓰레기 버리는 김에 같이 주워 가면 되잖아요. 사람이 뭐 그렇게 융통성이 없어요?"

희태가 속으로 '셋' 하고 숫자를 센 뒤 다시 아이를 쳐다봤다. 수진에게 팔이 붙들려 있는 아이는 여전히 겁에 질린 얼굴이었다. 희태의 시선이 다시 수진에게로 옮겨 갔다. 그녀의 눈은 아직도 그를 매섭게 노려보고 있었다. 희태의 귓가에 메트로놈 소리가 들리는 듯했다. 천천히 규칙적으로 똑딱이는 소리에 그의 마음도 같이 왔다 갔다 했다.

'죽일까, 말까.'

희태가 양손으로 관자놀이를 꾹꾹 누르며 중얼거렸다.

"오늘이 며칠이더라…… 21일인가요?"

"뭐요?"

수진이 어이없다는 표정과 함께 되물었다.

희태가 왼손에 주먹을 쥐고 "1, 2, 3, 4……." 하는 입 모양과 함께 손등 뼈를 짚어 가며 날짜를 계산했다.

"4월은 30일까지 있으니까 5월이 되려면 아직도 열흘이나 남았네요……."

"갑자기 뭐라는 거야?"

수진이 인상을 팍 찌푸리며 짜증을 냈다. 그녀의 반응에도 아랑곳하지 않고 고민에 빠져 있던 희태가 마침내 입을 열었다.

"아무것도 아니에요. 죄송합니다. 쓰레기는 제가 다 치울게요."

"뭐야, 진짜. 별……."

수진이 작게 중얼거리더니 홱 돌아서서 아이와 함께 집으로 향했다. 엄마의 손에 이끌려 멀어져 가는 아이의 뒷모습은 마치 도살장으로 끌려가는 힘없는 어린 가축을 연상시켰다.

3.

나른한 오후였다. 금요일이라는 이유 하나만으로 종일 기분이 붕 떠 있는 날. 고개를 들어 보니 아이들의 미술 활동이 한창이었다. 불과 한 달 반 전 입학식 때만 해도 긴장한 모습이 역력하던 아이들이 이제는 제법 진짜 초등학생 태가 났다. 새하얗던 아이들의 실내화는 그새 얼룩덜룩해졌고, 하나하나 이름

표가 부착되어 있던 새 학용품들은 어느새 사용감이 눈에 보일 정도였다.

문득 전쟁과도 같던 학기 초반이 떠올라 웃음이 났다. 배가 고프다며 시도 때도 없이 징징거리고, 수업 시간엔 자리에 앉아 있어야 한다는 사실조차 당연하지 않았던 아이들이 이제는 제법 의젓하게 자리에 앉아 주어진 일들을 해내고 있었다.

젓가락을 사용할 줄 몰라 포크를 따로 챙겨 오던 세윤이는 이젠 작고 미끄러운 반찬도 척척 집을 수 있게 되었고, 한글을 전혀 읽지 못하던 예준이는 이제 자기가 좋아하는 단어 몇 개를 공책에 적을 수 있게 되었다. 걸핏하면 울음부터 터트리던 지유도 이제는 울지 않고 자신의 의사를 표현할 수 있게 되었다. 시간이 그들을 유아에서 어린이로 천천히 변신시키는 과정이 신비할 따름이었다.

수업 후반부에는 아이들이 각자 자기가 그린 작품들을 설명하는 시간을 가졌다. 장래 희망을 그리라는 주제에 맞게 아이들은 한 명씩 일어나 대통령, 소방차, 가수, 선생님 등 자기들의 꿈을 소개했다.

마지막 발표 순서는 민서였다. 민서의 스케치북엔 경찰관과 민서가 그려져 있었고, 민서는 자신의 아빠와 같은 경찰이 되고 싶다며 자랑스럽게 자신의 그림을 발표했다.

민서는 발표를 마치고 반짝거리는 눈으로 날 쳐다봤다. 마치 비밀을 공유한 공범이 보낼 법한 눈빛이었다. 아이들의 이름이 가나다순으로 정렬되어 있는 출석부를 부를 때마다 한씨 성을 가진 민서는 항상 맨 마지막 순서에 이름이 불렸다. 하지만 출석부 순서와는 달리 민서는 어디에 있어도 제일 먼저 눈에 띄는 아이였다. 사랑받고 자란 티가 나는 아이였고, 순수하고 맑은 미소를 가진 명랑한 아이였다.

며칠 전, 민서가 방과 후에 건물 뒤편 화단에서 병아리를 데리고 놀고 있는 것을 우연히 보게 되었다. 학교 앞에서 파는 병아리를 산 모양이었다. 흐뭇한 표정을 지으며 그 모습을 창문 너머로 지켜보던 나는, 귀가가 늦으면 안 된다는 생각에 아이를 집으로 돌려보내기 위해 화단으로 내려갔다.

화단으로 향하는 내내 병아리가 삐약거리는 소리가 났다. 그러다 어느 순간 그 소리가 딱 멈추었다. 화단에 도착해서야 알게 되었다. 병아리가 스스로 소리를 멈춘 것이 아니라, 더는 아무 소리도 낼 수 없게 되어 버렸다는 것을. 가위로 난도질을 당해 이제는 병아리라고 부를 수도 없을 만큼 형태가 망가져 버린 상태였으니까 말이다.

이게 무슨 상황인지 머릿속이 정리되기도 전에 나는 이미 화단 안으로 성큼성큼 들어가고 있었다. 손에 피가 묻은 민서를 보자마자 바로 알 수 있었다. 이 아이가 나와 같은 종류의 인간이라는 것을. 그리고 오직 나만이 이 상황을 해결할 수 있다는 것을.

"어? 선생님?"

갑작스런 내 등장에 놀란 민서가 당황한 얼굴로 말했다.

"이, 이거 제가 그런 거 아니에요."

민서는 변명과 함께 가위를 쥔 손을 황급히 등 뒤로 숨겼다. 그래도 다행이라고 해야 할까. 자신이 그랬다는 사실을 부정하는 걸 보면 이것이 떳떳한 행동이 아니라는 것은 알고 있는 듯했다.

나는 얼른 커다란 돌멩이를 주워 땅을 파기 시작했다. 다른 생각을 할 겨를이 없었다. 병아리 시체를 계속 이대로 두었다간 누군가에게 금세 발견될 테고, 그렇게 되면 내 선에서 해결할 수 없을 만큼 일이 커질 게 분명했다.

"선생님!"

민서가 다급하게 나를 불렀다.

"진짜 제가 안 그랬다니까요!"

대답 없이 땅을 파내는 나에게 민서가 다시 한번 소리치며 자신의 결백을 주장했다.

"그거 민서 가위 아니야?"

내가 한민서라고 적힌 분홍색 가위에 시선을 던지며 물었다. 불과 몇 시간 전까지만 해도 만들기 시간에 쓰이던 가위가 이제는 병아리를 해체하는 데 쓰여 피가 얼룩덜룩 묻어 있었다. 거짓말이 통하지 않자 민서는 시치미 떼기에서 자기 합리화로 빠르게 노선을 변경했다.

"이 병아리 제가 돈 주고 산 거예요. 그럼 제가 주인이니까 뭐든지 제 마음대로 해도 되는 거잖아요."

나는 계속해서 내 옆에서 조잘거리는 민서의 말들을 무시한 채 깊숙이 파인 구멍 안에 조심스레 병아리의 사체 조각들을 집어넣었다.

"어차피 병아리는 다 일찍 죽어요. 저번에 산 병아리도 일주일도 못 가서 죽어 버렸어요."

흙으로 구멍을 덮자 아무 일도 일어나지 않았다는 듯이 화단은 예전 모습을 되찾았다. 이곳에서 병아리가 죽었다는 사실도, 민서가 병아리를 죽였다는 사실도 감쪽같이 이곳에 묻혀야 했다.

나는 자리에서 일어나 두 손에 묻은 흙을 툭툭 털어 냈다. 민서는 여전히 내 옆에 서서 나를 똑바로 쳐다보고 있었다. 아무 반응이라도 해 달라는 눈초리였다. 무슨 말을 해 줘야 할까. 엄마라면 어떤 말을 했을까. 짧은 고민 끝에 나는 민서와 눈높이를 맞춰 앉아 대답했다.

"민서야, 이런 문제는 왜 그랬는지가 중요한 게 아니야. 아무도 그 이유를 알고 싶어 하지 않거든."

민서는 동그란 눈을 더 커다랗게 뜨고 내 눈을 응시했다. 피 묻은 손과 대조되는 무척이나 순수하고 맑은 눈이었다.

"중요한 건 네가 이런 아이라는 사실을 절대 들켜선 안 된다는 거야. 친구들한테도, 부모님한테도, 아무한테도."

"왜요? 혼날지도 모르니까요?"

"혼나기만 하면 다행이지. 근데 그걸로 끝나지 않을 수도 있어."

귀를 쫑긋 세우고 내 이야기를 경청하는 민서에게 내가 비밀 얘기를 하듯 작게 속삭였다.

“사람들은 자신들과 다른 걸 무서워하거든. 민서가 보통 사람들하고 다르다는 사실을 알게 되는 순간, 사람들은 민서를 병원이나 감옥에 평생 가둬 놓을걸? 동물원 우리에 갇혀 사는 동물들처럼 말이야.”

“진짜요?”

민서가 소스라치게 놀라며 물었다.

“응, 진짜로. 그러니까 이런 모습은 아무한테도 보여 주면 안 돼. 절대 들키지 말고 무조건 꼭꼭 숨겨야 돼. 알겠지?”

“네. 근데 어떡하죠? 저는 벌써 선생님한테 들켜 버렸잖아요.”

민서가 불안한 얼굴로 되물었다.

“오늘 일은 우리 둘만의 비밀로 하자. 민서가 한 일도, 선생님이 민서한테 해 준 말들도 모두 다. 할 수 있겠지? 약속의 증표로 선생님이 아끼는 이 레고 피규어 줄게.”

나는 주머니에서 귀여운 요정의 모습을 한 미니 피규어를 꺼내 내밀었다.

“네!”

민서는 씩씩하게 대답하며 피규어를 손에 꼭 쥐었다. 그 힘찬 대답과 함께 우리는 공범이 되어 둘만의 비밀을 만들었다.

“저도 선생님한테 선물!”

"와~ 정말?"

민서는 주머니에서 종이로 만든 나비가 장식된 작은 클립을 꺼내 나의 가슴 쪽 주머니에 꽂아 주었다. 만들기 시간에 색종이와 클립으로 만든 것이었다.

"이거 정말 선생님 주는 거야?"

"네, 원래 우리 아빠 주려고 했는데 그냥 선생님 드릴게요."

나는 기쁜 표정을 지으며 민서를 바라봤다. 나와 비슷한 성향을 가진 아이라니. 게다가 내가 큰 곤경에 빠질 뻔한 아이를 내 방식대로 구해 냈다니. 엄마가 이 광경을 보셨다면 얼마나 나를 자랑스러워하셨을까.

하지만 민서 말고도 내 도움이 절실한 아이가 아직 한 명 더 남아 있었다. 도살장에 갇혀 사는 아이. 이름도 모르는 그 아이의 얼굴이 자꾸만 눈앞을 아른거렸다. 그 아이를 보면 잊고 싶은 어린 시절 기억이 떠올랐다. 집이 도살장처럼 느껴지는 건 나도 아주 잘 알고 있는 감정이다. 폭력에 무방비하게 노출되어 있던 그때의 기억은 내가 아이에서 어른이 되고, 약자에서 강자가 된 기나긴 세월에도 잊히지 않는 머릿속 낙인이 되었다.

아이는 엄마에게 질질 끌려가면서도 뒤를 돌아 나에게 도움의 눈길을 보냈었다. 하지만 부끄럽게도 나는 그 애처로운 눈길을 모른 척해야만 했다. 4월의 치팅 데이는 이미 지나가 버렸으니까.

규칙에 얽매여 도움이 필요했던 아이를 외면한 건 비겁한 행동이었다. 하지만 나는 내가 스스로 정한 원칙에서 벗어날 수 없었다. 치팅 데이는 내가 괴물이 아님을 증명하는 수단이자 내 존재 가치를 입증하는 도구였다. 그러니 이번만 예외를 둘 순 없었다. 무엇이든 한 번이 어렵지 않은가.

한 번은 금세 두 번이 될 테고, 두 번은 세 번이 되어 그 뒤로는 통제가 불가능해질 것이다. 매번 치팅 데이를 지키지 못해 폭식을 하고 다이어트에 실패했던 혜진이처럼. 원칙을 어기고 폭주한다면 나는 그저 쾌락을 위해 사람들을 해치는 살인마가 되어 버릴 것이다. 그럼 동물원 우리에 갇히게 되는 건 다른 누구도 아닌 내가 되겠지.

나는 그날 아이에게 차마 직접 전하지 못했던 말을 혼자 마음속으로 몇 번이고 되뇌었다.

'새끼손가락 걸고, 도장 찍고, 복사하고 약속해. 내가 널 꼭 그곳에서 꺼내 줄게. 오래 걸리지 않을 거야. 그때까지 부디 조금만 더 버텨 줘.'

4.

4월 30일 토요일, 오후 11시 45분.

수진은 요즘 누군가 자신을 따라다니는 것만 같은 기분이 들었다. 후미지고 으슥한 거리, 동네 초입에만 달려 있는 CCTV 카메라, 희미하게 깜빡이는 가로등까지 모든 게 몇 년째 그대로인이 동네가 오늘따라 왠지 더 낯설게만 느껴졌다. 며칠 전 노파심에 구매한 호신용 스프레이를 손에 꼭 쥐어도 불안한 마음은 여전히 가시질 않았다.

고요한 거리에 수진의 구두 소리가 낮게 울려 퍼졌다. 부슬부슬 내리기 시작한 비는 어느새 장대비가 되어 곳곳에 물웅덩이를 만들어 냈다. 또각거리는 구두 소리와 빗물이 아스팔트 표면 위에 쏟아지는 소리가 만나 무거운 분위기를 자아냈다.

"집에 들어갈 때까지만 통화해 줘. 너무 불안해서 그래."

수진은 결국 스산한 분위기를 견디지 못하고 친구에게 전화를 걸어 애원하듯 말했다.

[경찰에 신고는 했어?]

"당연히 못 했지. 무슨 일이 일어난 것도 아니고 그냥 느낌이 좀 쎄한 건데 경찰이 뭘 어떻게 해 주겠어."

[그럼 그냥 피곤해서 그런 거 아닐까? 너 남편 그렇게 된 지도 얼마 안 됐고, 혼자 육아며 살림하느라 힘들어서 그런 걸 수도 있잖아.]

"그런가……."

수진은 말꼬리를 흐렸다. 그도 그럴 것이 그녀는 오랜 기다림 끝에 남편의 사망 보험금을 막 수령한 참이었다. 그리고 물론 주위 사람들에게는 일언반구도 없이 잠적할 계획이었다.

[응, 별일 아닐 거야. 너무 걱정하지 마. 아, 몇 분 뒤면 벌써 5월 1일이네. 시간 너무 빠르다, 진짜.]

"오늘이 4월 마지막 날이야? 아, 5월 하니까 생각나네. 나 며칠 전에 집 앞에서 어떤 미친놈 하나를 만났는데, 갑자기 날짜를 물어보더니 5월이 되려면 아직 열흘이나……."

[야, 미안, 미안. 나 이제 진짜 마감하러 가 봐야 돼. 미안해. 조심히 들어가. 내가 나중에 다시 연락할게!]

"야! 야! 아이, 진짜. 이제 언덕만 지나면 집인데."

수진은 매정하게 끊긴 휴대 전화를 노려보다 이내 언덕길을 올랐다. 매일같이 오르락내리락하던 언덕길이 오늘따라 왠지 더 높고 가파르게 느껴졌다.

한편, 희태는 언덕길 어귀에 주차된 차 안에서 수진이 나타나기만을 기다리고 있었다. 수진의 불길한 촉은 틀리지 않았다. 희태는 수진과의 첫 만남 이후 줄곧 그녀를 지켜보고 있었다.

하염없이 수진을 기다리던 희태는 그녀가 언덕길을 오르는 것을 확인하자마자 마스크와 우비 모자를 쓰고 차에서 내렸다. 휴대 전화를 확인하니 시간은 벌써 12시가 되기 5분 전이었다. 바로 그가 기다리고 기다리던 완벽한 타이밍이었다.

수진은 아직 자신에게 다가오는 검은 그림자를 눈치채지 못한 채 또각또각 언덕을 오르는 중이었다. 그녀는 걷는 내내 잔뜩 긴장한 상태로 주위를 살폈다. 차디찬 비바람과 긴장 탓에 그녀의 몸이 오싹 움츠러들었다. 문득 수진의 등 뒤에서 인기척이 느껴졌다. 반사적으로 돌아본 자리엔 지난번에 봤던 길고양이가 지붕 아래서 비를 피하고 있었다. 수진은 놀라 뒷걸음질 치며 소리쳤다.

"아오, 깜짝이야. 저놈의 고양이는 왜 자꾸 나타나는 거야."

수진은 옆에 버려져 있던 음료수 캔을 냅다 고양이를 향해 걷어찼다. 고양이는 캔을 피해 지붕을 따라 쏜살같이 도망쳤고, 캔은 텅 소리를 내며 땅에 떨어졌다.

수진이 다시 뒤를 돌아 집으로 향하려던 순간, 어두운 골목길에서부터 한 남자가 기척도 없이 나타났다. 남자는 모자와 마스크로 얼굴을 가리고 있었고, 까만색 우비 차림으로 비를 맞고 있었다. 남자는 천천히 언덕을 오르며 수진을 향해 다가오기 시작했다. 수진은 황급히 뒤를 돌아 전보다 빠른 걸음으로 길을 걸었다. 그녀의 빨라진 걸음걸이만큼 남자 또한 속력을 높여 그녀를 붙잡으려는 듯 거리를 점점 좁혀 왔다.

수진은 등골이 오싹했다. 이건 기분 탓이 아니었다. 남자는 정말 수진과 같은 보폭으로 수진을 쫓아오고 있었다. 수진과 남자와의 거리가 점점 더 좁혀졌다. 수진이 빠르게 걷다가 달리기 시작하자 남자의 발소리 역시 빨라지며 빗길을 달렸다.

그의 숨결이 수진에게 닿을 만큼 거리가 가까워지자 수진은 외마디 비명을 지르며 바닥에 주저앉았다. 바들바들 떨리는 그녀의 손은 호신용 스프레이를 허공에 겨누고 있었다. 멈추지 않는 발소리에 수진이 고개를 들어 보니, 그녀를 향해 달려오는 줄 알았던 남자는 그녀를 지나쳐 저만치 멀어져 갔다.

"뭐야……."

수진은 놀란 가슴을 부여잡고 안도의 숨을 거칠게 몰아쉬었다. 비를 잔뜩 맞은 그녀가 놀라서 땅에 떨어뜨렸던 우산을 다시 주우려는 사이, 저쪽으로 달려가던 남자가 갑자기 뒤를 돌아 그녀를 향해 전속력으로 달려오기 시작했다. 가파른 내리막길에서 가속이 붙어 달려오는 남자의 기세에 수진이 놀라며 뒷걸음질 쳤다. 급작스럽게 벌어진 공포스러운 상황에 수진은 온몸이 얼어붙어 비명조차 지를 수 없었다.

순식간에 수진의 코앞까지 다가온 남자가 주머니에서 망치를 꺼내 수진의 머리를 가격했다. 쓰러진 수진의 머리 주위에 고인 피가 빗물에 빠르게 씻겨져 나갔다. 남자는 쓰러진 수진을 들쳐

업고 언덕 입구 쪽에 주차되어 있던 봉고차로 성큼성큼 걸어갔다. 그는 주위를 살피고 나서 차 뒷문을 거칠게 열어젖혔다. 이내 그는 수진을 차 안에 던져 넣고 자신도 그 안으로 따라 들어갔다.

한편, 희태는 이 모든 상황을 얼마 떨어지지 않은 곳에서 다 지켜보고 있었다. 수진을 납치할 타이밍만을 재고 있던 희태의 앞에 돌연 불청객이 등장한 순간부터 상황은 걷잡을 수 없이 그의 계획을 벗어나기 시작했다.

희태는 급하게 몸을 숨긴 채 두 사람을 지켜봤다. 저 사람은 누구지? 어디서 갑자기 튀어나온 거지? 그냥 지나가는 행인일까? 이대로 상황을 지켜봐야 할까? 치팅 데이를 다른 날로 미뤄야 할까? 꼬리에 꼬리를 물고 이어지는 질문들이 별안간 들려온 둔탁한 소리에 재빠르게 자취를 감췄다.

희태는 자신의 눈앞에서 벌어지고 있는 이 상황을 쉽사리 받아들일 수가 없었다. 누군지도 모르는 사람이 갑자기 나타난 것도 모자라 수진을 망치로 내려치다니. 도대체 무슨 일이 일어나고 있는 걸까.

잠시 넋이 나가 있던 희태가 다시 정신을 차리고 두 사람 쪽으로 조심스럽게 이동했다. 차 문이 열리는 소리에 희태는 다시 몸을 숨겼다. 차에서 나온 남자는 운전석으로 자리를 옮겨 탔다. 희태는 재빨리 남자의 얼굴을 확인하려 했지만, 시야 확보가 어려운 빗속에서 모자와 마스크까지 착용한 남자의 얼굴을 알아보기는 불가능에 가까웠다.

굵어지는 빗줄기에 시야가 점점 더 흐려져 갔다. 이내 시동이 걸린 봉고차가 천천히 골목길을 빠져나갔다. 희태도 빠르게 자신의 승용차로 돌아가 거리를 두고 그 뒤를 따랐다.

5월 1일 토요일, 오전 12시 16분.

자동차 디스플레이에 표시된 날짜와 시간을 확인한 희태는 화를 억누르며 손으로 얼굴을 쓸어내렸다. 계획이 틀어지는 건 빈번한 일이지만 이렇게 누군가에게 선수를 빼앗긴 적은 처음이었다.

봉고차와 희태의 승용차가 빨간 신호등 앞에 정차했다. 나란히 서 있었지만, 쏟아져 내리는 비와 진한 선팅 탓에 운전자가 전혀 보이지 않았다.

*

수진은 극심한 두통과 함께 깨어났다. 살결에 느껴지는 차디찬 바람에 수진의 몸이 덜덜 떨렸다. 그녀의 팔다리는 몸통 뒤쪽으로 결박되어 있었다. 머리가 깨질 듯한 통증 속에서 망치에 맞고 쓰러졌던 기억이 떠올랐다.

수진은 자신이 처한 상황을 파악하기 위해 묶인 몸을 힘겹게 움직이며 주위를 살폈다. 그녀가 몸을 움직일 때마다 바닥에 깔린 비닐이 눈치도 없이 부스럭거리며 소음을 일으켰다.

수진이 감금되어 있는 곳은 언뜻 보기에는 일반 창고처럼 보였다. 그녀가 쓰러져 있는 곳은 온기가 전혀 느껴지지 않는 시멘트 바닥이었고, 주위엔 쓰레기 같은 물건들이 아무렇게나 쌓여 있었다. 벽에는 시골에서나 볼 법한 잡다한 농기구들이 걸려 있었다.

수진은 팔다리가 묶인 불편한 몸을 질질 끌고 희미한 불빛이 새어 나오는 창고 입구 쪽으로 조금씩 기어갔다. 그녀가 악착같이 기어서 문에 다다랐을 때쯤, 한 남자의 장갑 낀 손이 그녀의 다리를 확 잡아끌었다. 수진이 순간 놀라 비명을 내질렀다. 남자가 우비 모자를 벗고 얼굴에 묻은 물기를 손으로 쓸어내리며 말했다.

"어디 가. 얼굴 보려고 지금까지 계속 기다렸는데."

수진은 남자의 손아귀에서 벗어나기 위해 악을 지르며 강하게 저항했다. 남자가 수진의 몸 위에 올라타 그녀의 얼굴이 자신을 향하게끔 그녀의 몸을 거칠게 홱 돌렸다.

땀과 피가 지저분하게 엉겨 붙은 얼굴을 돌려 남자의 정체를 확인한 수진은 충격에 휩싸여 사색이 되었다. 그는 분명 얼마 전 보험사 직원과 함께 그녀의 집에 방문해 경찰 배지를 보여 주며 협조를 구하던 그 경찰이었다. 수진은 혼란스러움에 눈을 빠르게 깜빡였다.

"당신…… 그때 그 경찰이잖아."

동규가 씩 웃으며 대답했다.

"경찰이 살인범 잡는 게 이상한가?"

"살인범이라니. 증거도 없는데 이게 뭐 하는 짓이야. 경찰이 사람을 납치해? 당신 미쳤어? 돈 때문에 이래?"

"내가 왜 이러는 건지는 혼자서 한번 천천히 고민해 봐. 시간도 많은데 그렇게 뭐라도 하는 편이 덜 심심할 거 아냐."

동규는 수진에게 말할 기회도 주지 않고 그녀의 입을 테이프로 막았다. 몸을 이리저리 비틀며 거칠게 저항하는 수진의 눈엔 시퍼런 독기가 서려 있었다. 동규는 흡족한 얼굴로 수진의 눈을 바라보며 말했다.

"그래, 좋아. 그 얼굴. 내가 사정상 재미를 자주 못 보니까 제발 최대한 오래 버텨 주라."

동규는 처음엔 짧은 칼을 사용했다. 그는 과일을 깎듯 수진의 허벅지 살을 천천히 도려냈다. 팔다리가 몸통 뒤쪽으로 묶인 수진은 마치 물을 벗어난 물고기처럼 살기 위해 세차게 파닥거렸다. 그녀의 얼굴이 괴롭게 일그러질수록 동규의 얼굴은 더욱 황홀한 표정을 지었다.

"톱을 써 봐도 재밌겠다."

살인의 순간마다 동규에게 속삭이는 목소리가 오늘도 어김없이 그를 부추겼다. 쓱싹쓱싹 톱질 소리가 창고 안에 울려 퍼졌다. 바닥에 깔린 비닐 위에 수진의 붉은 핏물이 주르륵 흘러내렸다. 그녀가 더는 버티지 못할 기색을 보이자 동규는 이윽고 투박한 망치를 꺼내 들어 그녀의 머리를 사정없이 내려쳤다. 그녀의 숨이 끊어지다 못해 두개골이 으깨질 때까지도 둔탁한 망치질 소리는 멈출 기미가 보이지 않았다.

*

또 그 꿈이다. 지금까지 내가 망가뜨린 사람들이 나오는 꿈. 눈에 보이는 모든 것이 흐릿하다. 길을 메운 인파, 제각기 어디론가 걸어가고 있는 사람들, 번화가 한복판에 서 있는 것처럼 시끌벅적한 소리, 나의 존재를 인식하자마자 미친 듯이 나를 쫓는 사람들. 나는 또다시 영문도 모른 채 그들을 피해 무작정 도망을 친다.

망가진 테이프처럼 늘어진 노랫소리와 흐릿한 풍경 사이사이로 보이는 사람들의 얼굴이 다소 기괴하다. 옥상에서 떨어져 관절이 죄다 비틀린 아버지, 이빨을 몽땅 뽑아 바닷속에 유기했던 노숙자, 목이 매여 몸이 축 늘어진 음주운전자, 벽돌에 맞아 얼굴이 뭉개진 사기꾼, 머리에 못이 박혀 온몸이 피 칠갑이 된 수철.

그들을 피해 숨이 차게 도망치다 보면 어느새 나는 이 모든 게 그저 꿈이라는 사실을 깨닫게 된다. 꿈이 아니라면 내가 이미 죽인 사람들이 다시 내 눈앞에 나타날 리가 없으니 말이다.

그 사실을 깨닫게 된 순간부터 나는 더 이상 도망치지 않는다. 오히려 신이 나서 그들에게 마구잡이로 주먹질과 발길질을 해 댄다. 꿈속에서는 힘 조절이 어렵다. 있는 힘껏 주먹을 휘둘러도 사람들은 타격을 입지 않고 좀비 떼처럼 달려들어 결국은 나를 넘어뜨리고 내 목을 조른다.

사람들에게 수도 없이 밟히고 목이 졸리다 다시 정신을 차려 보면 그다음은 어느새 낯익은 정신과 상담실로 장면이 전환된다. 스탠드 불빛만이 켜져 있는 어두운 상담실에서 뒤돌아 있던 의사가 의자를 빙 돌려 나를 마주한다. 소름 끼치는 삐에로 가면을 쓴 의사가 기괴한 목소리로 내게 묻는다.

"아직도 죄책감 때문에 악몽을 꾸나요?"

그럼 난 꿈속에서만큼은 솔직하게 내 속마음을 털어놓는다.

"선생님, 사실 꿈에서 깨고 나서 제가 느끼는 감정은 죄책감이 아니에요. 오히려 아쉬움이죠. 사람들에게 한창 밟히고 목을 졸리다 꿈에서 깨고 나면 그날은 정말 하루 종일 기분이 안 좋아요. 그래서 생각하죠. 다음번엔 그들을 더 확실하게 죽일 수 있길. 꿈에서까지 민폐인 역겨운 것들의 머리통을 부수고 그들의 몸통에 칼을 더 깊숙이 쑤셔 넣을 수 있길. 꿈속에서 내게 주어진 또 한 번의 기회를 다신 허무하게 날려 버리지 않길."

내가 말을 마치자 이번엔 의사가 팔을 뻗어 내 목을 조른다.

"선생님, 저는 죄책감을 느끼지 않아요. 저는 잘못한 게 없으니까요."

목이 졸려 숨이 끊어질 때쯤 나는 발작과 함께 꿈에서 깨어났다. 머리가 잠시 멍하다 차츰 이곳이 어딘지 기억이 나기 시작했다. 새벽 내내 정체를 알 수 없는 남자를 미행해야 했던 지난밤이 아직도 생생했다. 남자는 비포장도로 안쪽에 위치한 시골집 창고로 수진을 끌고 들어갔다. 한참을 그곳에서 나오지 않던 남자는 한창 쏟아지던 비가 조금씩 잦아들 때쯤에야 커다란 여행용 트렁크와 함께 모습을 드러냈다.

나는 그의 일거수일투족을 다 감시했다. 나는 그가 여행용 트렁크와 삽을 들고 마을 뒷산으로 올라가 한참 뒤에 삽만 들고 내려오던 모습을, 그곳에서 꽤 멀리 떨어진 집에 도착해 차 트렁크를 열어 옷을 갈아 입고 신발을 갈아 신던 모습을, 그리고 마지막으로 차 번호판을 능숙하게 교체하던 모습까지

하나도 빠짐없이 다 지켜봤다.

한 달에 한 번 있는 치팅 데이를 위해 신중하게 타깃을 고르고, 고민에 고민을 거쳐 그에 맞는 계획을 짰던 모든 노력들이 한순간에 허사로 돌아갔다. 도대체 어디서부터 일이 잘못된 걸까.

기다리는 건 내가 제일 잘하는 일이다. 오래 기다린 만큼 무르익은 열매는 달콤했을 것이고, 그걸 따 먹는 것 역시 꿈만 같은 일이었을 것이다. 그랬어야 했는데……. 마지막 날까지 기다려 온 열매를 바로 눈앞에서 다른 사람에게 빼앗기게 될 줄은 정말 상상도 하지 못했다. 마음속 깊은 곳에서부터 분노가 끓어올랐다. 귓가엔 또다시 메트로놈 소리가 똑딱거렸다.

죽일까, 말까.

발신 번호 표시 제한

1.

동규는 폭력과 방치 속에 자라났다. 술과 도박에 빠진 아버지와 가정을 내버리고 도망간 어머니. 누구도 그를 원하지 않았고, 누구도 그를 사랑하지 않았다.

보육원에 맡겨지고 난 후에도 상황은 나아지지 않았다. 보육원은 버림받은 아이들의 불행이 한데 모인 곳이었고, 그곳의 공기는 동규가 방치되어 있던 단칸방과 크게 다르지 않았다. 그럼에도 그곳의 아이들은 웃음을 잃지 않았다. 그들은 서로의 아픔을 보듬으며 서로의 가족이 되었다. 같은 아픔을 겪고도 행복을 찾아 살아가는 그들의 모습이 동규는 너무나도 불편했다.

동규의 인생이 송두리째 바뀐 그날은 한 달에 한 번 있는 면담 날이었다.

"동규야, 여기서 지내 보니까 어때? 어디 불편한 데는 없어?"

"네, 괜찮아요."

"다행이다. 언제든지 필요한 게 있거나 고민거리 생기면 꼭 알려 줘."

"네."

"그래, 우리 힘들었던 기억들은 다 잊고 같이 힘내 보자."

원장이 그 말과 함께 동규에게 사탕을 건넸다. 주름이 깊게 팬 원장의 환한 미소에 동규는 하루 종일 속이 거북했다. 그는 폭력과 방치에 익숙해져 행복과 희망엔 거부감이 들었다. 그런 건 그에게 절대 허락되지 않을 허상에 불과했다.

동규는 그날 밤 보육원에 불을 질렀다. 그제야 보육원에서 웃음소리가 사라졌다. 사람들이 고통 속에 울부짖는 모습을 보니 그를 짓누르던 불행이 조금은 가벼워지는 듯한 기분이 들었다. 그의 입엔 원장에게 받은 사탕이 물려 있었다. 사탕은 무척이나 달콤했고, 달콤한 만큼 입 안에서 빠르게 녹아 없어졌다.

활활 타오르는 불 앞에서 동규는 비로소 살아 있다는 생생한 감정을 느꼈다. 몸에 불이 붙어 미친 듯이 바닥을 구르며 비명을 지르는 원장을 본 순간, 그는 그동안 텅 비어 있던 가슴이 무언가로 가득 채워지는 듯한 기분이 들었다. 여러 겹으로 꽁꽁 싸매 숨겨 놓은 인간의 연약함이 죽음 앞에서 한 꺼풀씩 벗겨지며 비로소 그 모습을 드러낼 때, 그는 그 어떤 것으로도 대신할 수 없는 환희를 느꼈다.

가난, 가정 폭력, 따돌림, 무엇 하나 자신의 의지로 바꿀 수 없었던 무력한 아이는 이제 더 이상 존재하지 않았다. 처음으로 약자에서 강자가 되었을 때의 전율은 그의 원동력이 되었고, 이제 다시는 약자가 되지 않아도 된다는 안도감은 그를 더욱 강하게 만들었다.

그렇게 강렬한 희열을 경험한 동규는 점점 더 자극적인 방법으로 사람들을 죽이기 시작했다. 그의 수법은 나날이 대담해졌고 갈수록 교묘해졌다. 동규는 사랑하는 아내 지원과 결혼하고 딸아이가 초등학생이 된 지금까지, 정의로운 경찰이자 평범한 가장을 충실히 연기함과 동시에 살인을 하며 욕구를 충족시키는 이중적인 삶을 살아왔다.

볼일을 마치고 집으로 돌아가던 동규는 여전히 생생한 수진의 얼굴을 떠올리며 새벽 내내 느꼈던 감동을 천천히 음미했다. 수진은 운 좋게 얻어걸린 선물과도 같았다. 처음엔 그저 맡기 싫은 사건의 용의자에 불과했었는데, 수진을 직접 만나고 나니 사건에 흥미가 생겼다.

그녀의 집을 처음 방문한 날, 사고 상황을 설명하던 수진은 감정이 복받쳤는지 이내 울음을 터트리며 눈물을 훔쳤다. 언뜻 보기에는 순수하게 남편의 죽음을 슬퍼하는 것처럼 보였다. 하지만 동규의 눈에 포착된 그녀의 눈동자는 손 틈새로 빠르게 움직이며 보험사 직원의 반응을 살피고 있었다. 대화 내내 보이던 작위적인 표정과 연습한 듯 바로바로 튀어나오는 대사들 또한 그녀가 무언가 숨기고 있다는 전제를 뒷받침했다.

하지만 재수사를 위해 진행된 휴대폰 디지털 포렌식과 신용카드 분석 결과에선 아무런 혐의점도 발견되지 않았다. 초심자의 행운이었던 건지 아니면 정말 오랫동안 공들여서 계획한 완전 범죄였던 건지는 모르겠지만, 수진의 범행은 흠잡을 곳이 없을 만큼 단순하고 깔끔했다.

그럼에도 동규는 수진이 남편을 죽였다고 확신했다. 범인을 알아보는 경찰의 촉인지는 모르겠지만, 동규는 이번 사건이 계획 살인이라는 것에 한 치의 의심도 없었다. 계속 물고 늘어지다 보면 수진이 그토록 감추고 싶어 하는 비밀을 파헤칠 수 있을 것도 같았다. 하지만 동규는 수사를 혐의 없음으로 종결시켰다.

수진이 보험금을 위해 남편을 죽였는지 죽이지 않았는지는 그에게 중요하지 않았다. 그에게 중요한 건 수진이 보험금을 타자마자 자취를 감출 확률이 높다는 것이었다. 동규는 죽여도 뒤탈이 없을 만한 사람이 필요했고, 거액의 보험금은 그녀가 갑자기 사라진다고 해도 이상하지 않을 자연스러운 상황을 만들어 주었다.

살인의 여운에 흠뻑 빠져 있던 동규는 별안간 차 안에 울려 퍼지는 벨 소리에 다시 정신을 차렸다. 발신자는 그의 아내 지원이었다. 동규는 미소를 지으며 통화 버튼을 눌렀다.

"잘 도착했어?"

[응, 아직 밖이야?]

"어, 이제 들어가려고. 장모님은 건강하시지?"

[응, 그럼. 엄마도 오빠 좀 쉬어야 하는 거 아니냐고 걱정하더라. 오빠 두고 우리끼리만 놀러 와서 미안해.]

"아니야, 일 때문에 같이 못 가서 내가 미안하지. 다음엔 꼭 같이 가서 장모님께 인사드릴게."

앳된 목소리가 통화 중간에 끼어들었다.

[아빠, 빨리 와! 보고 싶어!]

동규의 얼굴에 흐뭇한 미소가 피어났다.

"아빠도 민서 너무너무 보고 싶은데, 오늘은 일이 있어서 못 갈 것 같아."

[아빠도 같이 놀면 좋을 텐데…….]

"미안해. 대신 다음 휴가 때는 아빠가 민서 데리고 바닷가에 놀러 간다고 약속할게. 그러니까 오늘은 외할머니랑 엄마 말씀 잘 듣고 있어."

[응. 아빠, 사랑해!]

"아빠도 민서 많이 사랑해!"

다시 지원의 목소리가 들렸다.

[오빠, 조심해서 들어가. 밥 잘 챙겨 먹고.]

"알았어. 잘 쉬다가 와."

*

희태의 하루는 치팅 데이 준비를 위해 정신없이 보낸 지난 열흘보다도 더 바쁘게 흘러가고 있었다. 희태는 수진을 납치한 괴한의 정체를 밝혀내기 위해 새벽 내내 그를 미행했고, 그가 집을 비운 틈을 타 그의 집을 몰래 수색했다.

괴한은 알면 알게 될수록 경악을 금치 못하게 하는 인물이었다. 험악했던 첫인상과는 달리 그는 표창장까지 받은 유능한 강력계 형사였다. 희태와 같은 범죄자들이 가장 기피해야 할 경찰이 되레 뒤에서 몰래 살인을 하고 다닌다니, 정말 아이러니한 상황이 아닐 수 없었다.

하지만 그보다 더 충격적이었던 건 거실에 걸려 있던 동규의 가족사진이었다. 희태는 기가 찼다. 간밤에 소동을 일으킨 괴한이 민서의 아버지였다니. 머릿속이 복잡했다.

희태는 동규가 경찰이라 해도, 자기 학생의 아버지라 해도, 어떻게든 동규를 죽일 생각이었다. 이건 민서를 위한 일이기도 했다. 치팅 데이를 가로챈 것만으로도 용서가 안 되지만, 어떤 부모는 살아 있는 것보다 살아 있지 않은 게 더 나으니까.

그랬던 희태의 마음을 움직인 건 수진의 어린 아들이었다. 희태는 엄마 없이 집에 혼자 남아 있을 아이의 상태를 확인하기 위해 다시 수진의 동네를 찾아갔다. 아이는 희태가 아이를 처음 만났던 그 골목길에서 그때 봤던 뚱뚱한 고양이를 쓰다듬고 있었다. 아이는 열흘 전과 똑같은 옷차림을 하고 있었다. 희태가 아이의 곁에 쭈그리고 앉아 자신의 겉옷을 아이에게 걸쳐 주며 물었다.

"우리 또 본다, 그치?"

아이가 희태를 보고는 반갑다는 듯이 고개를 끄덕였다. 희태가 근처 가게에서 사 온 야채죽을 가방에서 꺼냈다. 죽을 후후 불어 식힌 다음 아이에게 건네자 아이는 힐끔 눈치를 보고는 배가 고팠는지 허겁지겁 죽을 먹기 시작했다.

"그러고 보니 우리 아직 서로 이름도 모르네. 이름이 뭐야? 아저씨 이름은 정희태."

희태가 자신의 이름을 또박또박 발음하며 물었다. 아이가 희태를 빤히 쳐다보다 조심스레 물었다.

"말해도 돼요?"

"응? 당연하지. 왜 안 돼?"

"말하면 엄마가 싫어해서요."

희태가 짧은 한숨을 내쉬고는 아이의 머리를 쓰다듬으며 말했다.

"이제 엄마 없으니까 괜찮아."

"아저씨는 우리 엄마 지금 어디 있는지 알고 있어요? 엄마가 어젯밤에 집에 안 들어왔어요."

"엄마는 이제 다신 안 돌아와. 이제 다 괜찮을 거야. 그동안 엄마 때문에 많이 힘들었지?"

아이가 고개를 저었다. 아이의 반응에 희태가 의아한 얼굴로 물었다.

"엄마가 집에 왔으면 좋겠어?"

"네."

"왜? 엄마가 맨날 때리고 말도 못 하게 했는데도 엄마가 안 미워?"

"무섭긴 한데, 그래도 우리 엄마잖아요."

아이의 말에 망치로 얻어맞은 듯 머리가 띵했다. 희태는 자신이 틀릴 수도 있다는 생각을 한 번도 해 본 적이 없었다. 그는 당연히 아이도 어릴 적 자신처럼 폭력을 휘두르는 부모가 영영 집에 돌아오지 않기를 바랄 줄로만 알았다.

물론 아이가 지금은 어려서 그런 걸 수도 있다. 하지만 만약 수진이 갱생 가능한 인간이었다면? 아이는 원한 적도 없는데 내가 아이의 하나밖에 없는 가족을 죽이려고 했던 거라면? 그렇다면 나는 진정 아이의 편에서 아이를 위한 선택을 내렸다고 자신할 수 있을까? 쉽게 확신이 서질 않았다.

희태는 동규를 죽일 계획을 잠시 미뤄 두기로 했다. 자신이 틀릴 수도 있다는 가정하에 좀 더 상황을 지켜봐야 했다. 납치부터 사체 유기까지의 모든 과정이 능숙했다는 이유만으로 동규가 계속 살인을 저질러 왔다고 단정 지을 수는 없었다. 혹시 그에게 납득할 수 있을 만한 살해 동기가 있었는지 또한 지금으로서는 확인할 길이 없었다.

동규를 죽이기 위해선 지금까지의 규칙에 따라 그가 살아 있는 것보다 죽는 것이 세상에 더 도움이 될 거라는 확실한 증거가 필요했다. 그가 죽음으로써 기뻐할 사람들보다 슬퍼할 사람들이 더 많다면 그는 희태의 타깃이 될 수 없었다. 표면적으로 그는 가족에게는 다정한 남편이며 자상한 아빠, 그리고 사회에서는 강력 범죄 검거율이 높은 능력 있는 경찰로 보였으니까.

하지만 만약 동규를 죽이지 않는다면 동규가 가로챈 치팅 데이는 어떻게 보상받아야 하는 걸까? 희태는 고민 끝에 한 결론에 다다랐다. 적이 될 수 없다면 동규를 철저히 이용해야 했다.

2.

동규가 집으로 돌아왔을 땐 집 안은 어둡고 고요했다. 평소와 달리 반겨 주는 사람 하나 없는 집은 한산하고 쓸쓸하기만 했다. 그런데 평소와 다른 점이 더 있었다. 집을 나서기 전과 다르게 집 안 물건들의 위치가 조금씩 어긋나 있었다. 닫아 놓은 적 없는 서재 방문 또한 굳게 닫혀 있었다. 혼란스러운 얼굴로 살펴보고 있는데 고요하던 정적이 깨지며 휴대 전화 벨이 울렸다.

'발신 번호 표시 제한'이란 화면을 확인한 동규는 의아한 얼굴로 통화 버튼을 눌렀다.

[안녕하세요, 한동규 씨.]

휴대 전화 너머로 음성 변조된 목소리가 들렸다.

"누구시죠?"

[저 진짜 깜짝 놀랐어요. 납치며 살인이며 한두 번 해 본 솜씨가 아닌 건 분명한데, 알고 보니 경찰에 평범한 가장이라니. 참 대단하신 것 같아요.]

"당신 누구야? 지금 무슨 소리를 하는 거야?"

당황한 동규는 가라앉은 목소리로 소리치더니 심각한 얼굴로 창문을 통해 바깥을 확인했다.

[시치미 떼실 필요 없어요. 오늘 새벽에 어디서 무얼 하셨는지 제가 다 봐 버렸거든요.]

동규의 심장이 철렁 내려앉았다.

"뭐 때문에 그런 헛소리를 지껄이는지는 모르겠는데, 지금 나한테 신고하겠다고 협박하는 거야?"

[하하, 신고요? 글쎄요. 신고로 퉁 치기에는 좀 약한데…….]

"그럼 돈을 원해?"

[돈이요? 전 돈 필요 없어요.]

"그럼 지금 뭐하자는 건데."

[그런 거 있잖아요. 같은 라면이라도 출출할 때 야식으로 끓여 먹는 라면이 훨씬 더 맛있는 거. 이왕 먹는 거 맛있게 먹으려고 귀찮음을 무릅쓰고 국물도 진하게 내고 각종 재료도 더해서 정말 맛있게 끓였는데, 누군가 그걸 제 눈앞에서 후루룩 다 뺏어 먹어 버린 거예요. 나는 아직 라면 끓이는 냄새밖에 못 맡아 봤는데.]

동규가 참다못해 소리쳤다.

"지금 뭔 개소리를 하는 거야!"

[배고픔을 참고 참다 끓인 라면을 뺏기고도 그냥 넘어갈 수 있는 사람이 몇이나 되겠어요? 제가 판사라면 그런 이유로 살인이 일어나도 무죄 판결을 내릴 거예요.]

뚝.

동규는 통화 종료 버튼을 누르고는 주방에서 식칼을 챙겨 제일 의심스러운 서재로 향했다. 조심스레 방문을 여니 텅 빈 방안엔 켜 놓은 적 없는 컴퓨터 모니터가 환하게 켜져 있었다. 컴퓨터 화면엔 빈 워드 파일이 열려 있었다. 동규가 마우스를 움직이자 별안간 마우스 커서가 제멋대로 움직이며 글자들을 써 내려가기 시작했다.

'전화 받으세요.'

컴퓨터에는 설치한 적 없는 원격 제어 프로그램이 실행되고 있었다. 동규가 컴퓨터 전원을 끄려고 조작하는데, 이번에는 그의 휴대 전화가 아닌 다른 곳에서 벨 소리가 울렸다. 소리가 나는 곳을 찾아 책상 서랍을 열어 보니 그 안엔 처음 보는 휴대 전화가 놓여 있었다.

화면에 '발신 번호 표시 제한' 글자가 뜬 휴대 전화에서 연신 벨이 울렸다. 동규가 전화를 받지 않자 벨 소리가 끊어지더니 방 안이 다시 고요해졌다. 이내 워드 화면에 다음과 같은 글자들이 빠르게 나타났다.

'이름 한동규, 나이 37세, 직업 동부 경찰서 강력1팀 형사, 가족 관계 아내 서지원과 딸 한민서, 계속할까요?'

동규가 황급히 워드 프로그램을 종료하자 다시 휴대 전화 벨이 울렸다. 그가 이번엔 바로 전화를 받았다.

"너 뭐 하는 새끼야."

동규가 한껏 목소리를 깔고 말했다.

[그러게 왜 전화를 끊으세요. 저만 나쁜 사람 되게.]

"뭐 이런 또라이 새끼가 다 있어! 너 우리 가족 털끝 하나라도 건드리기만 해 봐. 내가 너 반드시 찾아내서 찢어 죽인다."

[저한테 그렇게 적대적이실 필요 없어요. 저는 형사님 가족을 건드리거나 형사님의 정체를 까발릴 생각이 없거든요. 아직까지는요. 제 말 무슨 뜻인지 아시겠어요?]

동규가 애써 화를 누그러뜨리며 말했다.

"원하는 게 뭐야."

[누굴 좀 죽여 주세요.]

"뭐?"

예상치 못했던 대답에 동규는 어이없다는 듯이 되물었다.

[저희 엄마가 항상 그러셨어요. 남의 눈에 눈물 내면 제 눈에는 피눈물이 난다고. 그런데 살면서 보니까 누군가의 인생을 망가뜨리고도 그에 합당한 벌을 받지 않는 사람들이 너무나도 많더라고요. 나이가 어리다고, 정신 질환이 있다고, 초범이라고, 우발적으로 저지른 범행이라고, 어쩌고저쩌고 얼마나 말도 안 되는 핑계들로 가해자들의 죄가 가벼워지는지 몰라요.]

희태는 천천히 말을 이어 나갔다.

[그에 반해, 피해자들은 그렇게 죗값을 제대로 치르지 않는 가해자들을 보며 더 큰 고통과 괴로움 속에서 살아가죠. 사기, 강간, 납치, 스토킹, 학대, 폭행, 음주 운전 이런 것들이 정말 살인

에 비해 가벼운 죄일까요? 어째서요? 직접 밀지만 않았을 뿐이지, 피해자들을 벼랑 끝으로 내모는 건데? 그렇다고 그 사람들이 자신들의 죄만큼 형량을 세게 받으면? 그 많은 사람들을 몇십 년 동안이나 감옥에서 먹여 주고 재워 주는 비용과 수고는 과연 어디서 나올까요?]

"하, 무슨 대단한 소리를 늘어놓나 들어 봤더니 아주 개소리를 지껄이고 자빠졌네. 여보세요. 경찰한테 훈수 두세요? 지금 이렇게 전화해서 쓸데없는 소리 하고 협박하는 거, 이것도 다 범죄인 거 알고는 있는 거죠? 이 정신병자 새끼야."

동규의 도발에도 희태는 아랑곳하지 않고 계속해서 자신의 논리를 내세웠다.

[그럼 형사님 같은 사람은 어떻게 해야 할까요? 그냥 이렇게 태어난 건데. 그죠? 배고프면 밥을 먹고 졸리면 잠을 자는 것처럼 그저 욕구를 채우는 것뿐이잖아요. 다르다는 이유로 일종의 정신병이라고 생각하는 사람들이 많은 모양인데, 그렇다고 애든 어른이든 조금이라도 그런 성향을 보이는 사람들은 모두 정신병원에 평생 가둬 놔야 할까요? 저는 조금 다르게 생각해요. 개똥도 약으로 쓰인다는데, 사이코패스라고 세상에 도움이 되지 말란 법은 없잖아요.]

"하……."

동규는 어이없다는 듯 한숨을 내쉬었다. 희태가 능청스럽게 말을 이어 갔다.

[그래서 저는 형사님이 어차피 누군가를 죽여야 한다면 그런 특기를 살려서 세상에 도움 안 되는 쓰레기들을 저와 함께 처리해 나가는 게 어떨까…… 하는 생각을 해 본 거죠.]

"그딴 병신 짓거리는 제발 너 혼자 해. 멀쩡히 잘 살고 있는 사람 건드리지 말고."

이번엔 장난기 하나 없는 목소리가 휴대 전화 너머에서 들려왔다.

[저는 지금 형사님께 기회를 드리고 있는 거예요. 저희가 어쩌다 이런 대화를 나누게 되었는지 벌써 잊으신 건 아니죠?]

"네가 대체 새벽에 뭘 봤다는 건지 설명이나 먼저 제대로 해."

희태가 작게 웃으며 대답했다.

[컴퓨터 바탕 화면에 영상이 하나 저장되어 있을 거예요.]

동규는 곧바로 바탕 화면에서 영상 파일을 찾아 재생시켰다. 영상에는 동규가 수진을 들쳐 메고 창고로 들어갔다가 묵직한 여행 가방만을 가지고 나오는 장면이 찍혀 있었다.

영상을 확인한 동규는 솟구치는 화를 억누르며 두 손으로 얼굴을 거칠게 쓸어내렸다.

*

희태와의 전화 통화를 마친 동규는 부리나케 차로 달려가 시동을 켰다. 그는 자신을 미행하는 차가 있는지 뒤를 살피며 이리저리 방향을 틀어 이동했다. 그리고 뒤따라오는 차가 없는 것을 확인한 후에야 그의 시골집으로 차를 돌렸다.

두 시간이 걸리는 거리를 한 시간 반 만에 도착한 동규는 곧바로 트렁크에서 상자를 꺼내 창고로 향했다. 혹시 모를 상황을 위해 매번 만들어 놓는 입구의 트랩은 그대로였다. 그건 오늘 새벽 동규가 마지막으로 창고를 나간 뒤로 아무도 그곳에 드나들지 않았다는 것을 의미했다.

동규는 상자에서 꺼낸 물건들을 소각용 드럼통에 쏟아붓고 그 위에 불을 붙였다. 그가 즐겨 쓰는 망치와 칼, 톱 등은 각각 신문지에 둘둘 말아 차에 챙겼다. 집으로 돌아가는 길에 한강에 던져 증거를 인멸할 생각이었다.

드럼통 안에서 소각되는 물건들을 가만히 보고 있자니 동규에게 다시금 불안감이 엄습해 왔다. 도대체 누가 어떻게 창고에서의 일을 목격하고 전화를 건 걸까. 지금까지 잘 숨겨 왔고, 앞으로도 그럴 거라고 생각했는데. 그는 잘 쌓아 왔던 모든 것들이 한순간에 무너지는 것만 같은 기분이 들었다.

그는 가족을 사랑했고, 자신의 체면을 중시했다. 그러니 비밀을 지키기 위해서라면 자신의 목숨까지도 내놓을 준비가 되어 있었다. 하지만 살인 청부라니. 살인은 오로지 그만의 성스러운 의식이어야 했다. 누군가 끼어들어 그 시간을 방해하는 건 절대로 용납할 수 없는 일이었다.

그는 낯선 남자와의 통화 내용을 다시 떠올렸다.

[저희의 첫 타깃은 백승찬입니다.]

"뭐? 백승찬?"

[네, 제가 주시하고 있는 마약 사범인데, 경찰이시니 저보다 잘 아시겠죠.]

"왜 하필 백승찬이야?"

[말씀드렸잖아요, 저희의 목표는 죽어 마땅한 범죄자들이라고. 요즘 한국에 마약 관련 범죄들이 날이 갈수록 더 심각해지는 건 형사님도 잘 알고 계시죠?]

"수사 진행 중인 놈을 무슨 수로 죽여? 괜히 잘못 건드렸다간 내가 위험해질 텐데."

[그러니까 저희가 한 팀으로서 잘 움직여야죠. 저 또한 형사님이 잡히지 않게 최선을 다하겠습니다. 그러니까 핑계는 그만 대시고 어서 움직여 주세요. 제가 그동안 모아 놓은 백승찬 관련 정보도 바로 보내 드리겠습니다. 다시 전화하면 꼭 받으세요.]

통화는 그렇게 일방적으로 끝이 났다. 경찰이 수사 중인 마약 사범을 몰래 죽이자고? 동규는 전화 상대가 누구인지는 짐작할 수 없었지만, 적어도 정신이 제대로 박혀 있지 않은 또라이라는 것만은 확실하게 알 수 있었다.

영웅 놀이에 심취한 범죄자라. 똑같은 범죄자가 도대체 무슨 자격으로 다른 범죄자들을 심판한다는 건지. 잘못된 신념이 어떤 결과를 불러일으키는지 그는 잘 알고 있었다.

그의 어머니는 아들에게는 아버지가 꼭 있어야 한다는 잘못된 신념을 가진 사람이었다. 그녀는 그런 신념을 핑계로 이혼도, 신고도, 아무런 조치도 취하지 않은 채 도박꾼에 가정 폭력범인 아버지를 끌어안고 살았다.

그 잘못된 신념의 대가는 고스란히 동규의 몫이었다. 사람은 착한데 술이 문제야. 사람은 선한데 돈이 문제야. 그럼 동규는 과연 누구에게 자신이 겪은 고통에 대한 잘못을 물어야 했을까. 아버지가 필요하다더니 결국엔 가족을 포기하고 떠나 버린 어머니가 동규는 너무나도 원망스러웠다.

잘못된 신념은 자신뿐만 아니라 주위 사람들까지 망가뜨린다. 그러니 저런 인간과는 깊게 얽히지 말고 피하는 게 상책이다. 그러나 지금으로서는 그 잘난 영웅 놀이에 장단을 맞춰 주는 수밖에 없었다. 얼굴도, 이름도, 성별도, 목소리도, 아무런 정보도 알아내지 못한 그 누군가는 동규의 가장 은밀한 비밀과 연약한 약점을 쥐고 있었다.

물론, 그는 계속해서 누군가의 꼭두각시 노릇을 하며 살 생각은 전혀 없었다. 단지 그에게는 시간이 필요했다. 전화를 건 사람을 찾아내 증거를 없애고 죽이기까지의 시간. 어디서부터 시작해야 할까 잠깐 고민하던 동규는 휴대 전화를 꺼내 어디론가 전화를 걸었다.

"어, 난데. 부탁 하나만 하자. 컴퓨터 원격 조종했을 때 기록 남지? 그것 좀 알아보고 IP 주소 하나만 추적해 줘."

협박과 추적이라면 동규 역시 그 누구에게도 뒤지지 않을 자신이 있었다. 사냥은 그가 제일 좋아하고 잘하는 것이었다. 그는 겁도 없이 그의 영역에 발을 들인 먹잇감을 절대로 놓치지 않을 것이다.

3.

몇 주 전 늦은 저녁 시간, 유원의 어머니로부터 전화가 한 통 걸려 왔다.

[희태야, 혹시 유원이가 요즘 무슨 일 하는지 아니?]

“유원이 취직한 거 아니었어요?”

[얼마 전에 그만뒀다고 하더라고. 근데 유원이가 어디서 자꾸 돈이 생기는지 이제는 생활비 걱정하지 말라면서 돈을 척척 내놓길래 좀 이상해서. 요새 밤마다 계속 나가는 것도 그렇고 괜히 신경 쓰이네. 무슨 일 하냐고 물어보면 그냥 아는 사람 일 도와준다는 말만 하고 말이야.]

“제가 한번 알아볼게요. 별일 아닐 거예요. 걱정 마세요.”

아주머니의 목소리에서 아들을 걱정하는 불안한 마음이 느껴졌다. 아주머니 마음이 이해는 갔다. 아무리 생활비가 급하다 해도 출처를 알 수 없는 돈이 달가울 리 없었다.

직장은 왜 그만둔 거냐고, 돈은 어디서 났냐고 물어봤자 유원은 아마 대답해 주지 않을 것이다. 만날 때마다 시시콜콜한 이야기들을 주야장천 늘어놓는 유원은 항상 정작 중요한 부분에선 입을 꾹 닫았다. 대답도 듣지 못할 질문을 하느라 시간을 낭비하는 것보단 직접 알아내는 게 더 효율적이라는 생각이 들어 나는 유원의 뒤를 밟기로 했다.

그렇게 시작된 미행은 며칠 동안 별 소득이 없었다. 그러다 어느 날 유원이 밤늦게 한 클럽 안으로 들어가는 걸 보게 되었다. 혹시 클럽에서 일하는 건가 싶었는데, 알고 보니 그는 그곳에서 사람들에게 약을 판매하고 있었다. 유원이 지정된 장소에 숨겨 놓은 약들은 이내 구매자들에게 넘어가 그들의 쾌락을 위해 쓰였고, 이 사람 저 사람의 손을 돌고 돌아 그것을 원치 않는 누군가의 술잔에까지 들어갔다.

자신이 판매하는 것이 무엇인지, 그리고 그것이 사람들에게 어떤 영향을 미치는지 유원이 모를 리 없었다. 내 선의 기준이 되어야 하는 유원이 저만치 악에 치우쳐져 있는 걸 왜 여태껏 눈치채지 못했을까.

"너 여기서 뭐 해?"

내가 클럽을 나오는 유원의 팔을 잡아당기며 물었다.

"깜짝이야. 네가 왜 여기 있어?"

"너 여기서 일해?"

"아냐, 그냥 아는 형 일 잠깐 도와주는 거야."

"아는 형이 약 좀 대신 팔아 달래?"

유원의 얼굴이 굳어졌다.

"너, 나 미행했냐?"

"왜 그런 일을 해. 돈 때문이야? 그래서 이러는 거야?"

유원이 인상을 찌푸리며 대답했다.

"그래, 돈 때문이다. 됐냐? 이거 별로 위험한 일 아니야. 그냥 중간에서 전달만 해 주고 돈만 받으면 돼."

"유원아, 정신 차려. 이거 범죄야. 너 그러다가 잘못되면 아주머니랑 유현이는 어떡하라고."

"범죄면 뭐, 신고라도 하게?"

"너 걱정돼서 하는 말이잖아."

유원은 피곤하다는 표정으로 한숨을 길게 내쉬었다.

"너는 편해서 좋겠다. 우리 가족 위하는 척 좋은 말만 하면 되고. 정작 가난은 내가 다 짊어져야 되는데. 이 일 소개해 준 형이 시키는 대로 잘만 하면 평생 돈 걱정 없이 살 수 있을 거랬어. 나는 감옥보다 가난이 더 무서워. 알아?"

"내가 도와줄게. 얼마가 필요한 건데."

"미안한데, 내가 알아서 할게. 그냥 조용히만 넘어가 줘. 부탁이야."

유원이 그대로 뒤를 돌아 내게서 멀어져 갔다. 이대로 우리 사이가 멀어지는 건 싫었다. 어떻게든 그를 다시 내 옆으로 되돌릴 방법을 강구해야 했다.

*

은은한 조명, 고급스럽게 잘 꾸며진 내부, 잔잔한 음악이 흘러나오는 칵테일 바에 나란히 앉은 두 남녀가 웃고 떠들며 분위기 좋은 데이트를 즐기고 있었다. 그러다 여자가 잠시 자리를 비운 사이, 남자는 재킷 주머니에서 무언가를 꺼내 그녀의 술잔에 몰래 떨어뜨렸다. 무색의 액체는 주황빛의 칵테일 속으로 사라졌고, 그 술을 마신 사람을 환각에 빠뜨렸다.

백승찬이란 인간을 미행하는 겨우 며칠 동안 놀랍게도 이런 일들은 빈번하게 일어났다. 그는 마치 법이 존재하지 않는 것처럼 행동했다. 일부러 술을 쏟거나 몰래 여자에게 술을 마시지 말라고 귀띔하는 것도 한계가 있었다. 그런 소극적인 대응은 그저 그의 범행을 조금 늦추기만 할 뿐이었다.

백승찬은 국내로 온갖 마약을 들여오고 유통까지 도맡아 하는 마약 사범이다. 그가 관리하는 오락실들의 지하엔 마약 파티 룸이 운영되고 있었다. 마약 청정국인 줄로만 알았던 한국에 이런 시설들이 버젓이 운영되고 있다는 사실이 놀라웠다. 정말 나라가 어떻게 돌아가고 있는 건지. 해충 같은 인간들은 죽여도 죽여도 계속해서 끊임없이 내 눈앞에 다시 나타났다.

백승찬은 유원을 이 세계로 끌어들인 그 잘난 '아는 형'이었다. 둘이 만나게 된 경로까지는 확인할 수 없었지만 확실한 건 유원이 그를 신뢰하고 있다는 사실이었다. 하지만 유원은 승찬에겐 그저 언제든지 잘라 버릴 수 있는 꼬리에 불과했다.

뻔히 눈에 보이는 그 속내가 유원에게만 보이지 않는 듯했다. 가슴이 답답했다. 유원은 내 도움이 필요 없다고 했지만, 그렇다고 백승찬이 유원을 수렁 속으로 밀어 넣는 걸 이대로 가만히 지켜보고 있을 수만은 없었다.

백승찬을 죽이는 방법밖엔 없다. 믿고 따르는 형이 마약에 연루돼 끔찍하게 살해당한다면 유원은 이 일이 얼마나 위험한지 깨닫고 일을 그만둘 것이다. 지금으로선 그렇게 되길 바라는 수밖에 없었다.

하지만 유감스럽게도 승찬은 지금까지 중 가장 접근하기 까다로운 타깃이었다. 누가 언제 그를 주시하고 있을지 모르는 상황에서 섣불리 그에게 접근해 경찰에게 의심을 사고 싶진 않았다. 그러던 와중에 운 좋게도 동규라는 변수가 내게 찾아왔다.

깨기 어려운 게임 단계에 봉착했을 때는 어떻게 해야 할까? 물론 끈기 있게 계속 도전할 수도 있겠지만 현실은 아쉽게도 게임처럼 기회가 몇 번씩이나 주어지지 않는다. 그렇다면 남은 방법은 딱 한 가지다. 그 게임을 나보다 더 쉽게 깰 수 있는 사람에게 부탁하면 되는 것이다.

4.

동규는 김 형사가 수사에 관한 브리핑을 진행하는 내내 그의 말에 집중하지 못했다. 어제 걸려 온 협박 전화를 받은 이후로 동규는 줄곧 온 정신이 그곳에 팔려 있었다.

"한 형사님?"

회의가 다 끝난 후 김 형사가 동규에게 말을 걸었다.

"응?"

"괜찮으세요? 안색이 안 좋으신 것 같은데……."

"어, 괜찮아. 그냥 좀 피곤한가 봐. 내가 알아보라는 건 어떻게 됐어?"

"아, 네. IP 주소 주신 거 추적했더니 동네 PC방으로 뜨는데, 자세한 건 형사님 핸드폰으로 보내 드릴게요."

역시 CCTV 영상에서는 별로 건질 게 없었다. 낮은 화질과 얼굴을 가린 인상착의 때문에 알아낼 수 있는 거라곤 체격이 좋은 남자라는 것 정도였다. 협박범이 동규의 집에 몰래 들어왔을 당시 방범용 CCTV에 찍혔던 모습과 마찬가지로 신원을 특정하기에는 턱없이 부족한 자료였다. 동규의 역추적 계획이 아무런 소득도 없이 다시 원점으로 돌아갔다.

그사이 협박범은 동규에게 다시 전화를 걸어 백승찬에 대한 경찰 수사가 본격적으로 시작되기 전에 움직여야 한다며 그를 재촉했다.

[이번 주 목요일이 어린이날이잖아요. 그다음 날은 따님 학교 개교기념일이고. 주말까지 끼면 아주 긴 휴일이 될 텐데, 가족들 여행이라도 보내 놓고 작업 들어가면 딱일 것 같지 않나요?]

통화를 끝낸 동규는 밖으로 나가 담배를 꺼내 물었다.

제안을 가장한 협박이었다. 과하게 친절한 말투라 더 재수 없었던 협박범의 목소리가 그의 머릿속을 맴돌았다. 동규는 대화 중간중간 계속해서 그의 가족을 들먹이는 협박범의 언사가 몹시도 거슬렸다. 남의 딸 학교 개교기념일까지 꿰고 있다니. 협박범의 손에서 놀아날 수밖에 없는 상황에 가슴이 답답했다. 오늘이 벌써 월요일이니 주말까지 동규에게 주어진 시간은 고작 5일 남짓밖에 없었다.

동규는 어젯밤 내내 협박범에게서 전달받은 백승찬 관련 정보들을 훑어보았다. 자료에는 승찬의 평소 동선이라든지 즐겨 가는 술집, 집에 드나드는 시간대 등이 잘 정리되어 있었다. 확실히 승찬을 죽일 계획을 짜는 데 도움이 될 만한 정보들이었다.

근래 동규가 속해 있는 강력반은 대대적인 마약 수사로 인해 골머리를 썩는 중이었다. 마약 범죄는 수사가 여간 까다로운 게 아니다. 다양한 형태와 기상천외한 방법으로 국내로 밀반입되는 마약을 모두 적발하는 건 불가능에 가깝고, 점조직 형태의 유통 방식 때문에 연루된 사람들을 모두 소탕하는 것 역시 매우 어려운 일이다.

게다가 마약 사범들은 다른 범죄자들에 비해 재범률이 더 높다. 아무리 고생해서 다 잡아넣어 봤자 그들은 돈맛을 봤든 마약에 중독되었든 출소 후에 다시 마약에 손을 대고 더 교묘한 수법으로 사업을 이어 나간다.

악은 아무리 근절하려고 해도 그 뿌리를 뽑을 수가 없다. 어차피 승찬을 죽여도 또 다른 누군가가 금세 그의 자리를 꿰찰 텐데 왜 그런 의미 없는 짓을 해야 하는지 동규는 도통 이해할 수가 없었다. 동규에게 협박범의 신념은 그저 정의를 위장한 위선으로밖에 보이지 않았다.

동규는 애꿎은 담배만 뻑뻑 피우다가 협박범에 대한 단서를 더 찾아내기 위해 그와의 전화 통화를 다시 떠올렸다. 협박범은 동규가 수진을 납치하고 살해한 것을 알고 있었다. 그는 동규의 집에 무단 침입해 동규의 물건들과 컴퓨터를 뒤졌다. 그리고 전화를 걸어 사실은 자신이 수진을 죽이려 했는데 동규가 그녀를 가로챘다는 이상한 말을 했다. 상황을 거꾸로 유추해 보면, 협박범은 수진의 동네에서 그녀를 지켜보다가 동규가 수진을 납치하는 것을 목격하고는 그에게 따라붙었고, 미행 끝에 그의 집까지 알아냈다는 얘기다.

이제야 모든 퍼즐 조각들이 그 면을 맞대어 제대로 된 그림을 공개하는 듯했다. 협박범을 추적할 실마리가 보이자 그제야 동규의 얼굴에 빙그레한 미소가 떠올랐다. 이제는 이 앙큼한 놈을 어떻게 찢어 죽일지만 고민하면 되는 문제였다.

*

동규는 형사라는 신분을 이용해 자신이 사는 동네, 수진의 동네, 그리고 수진의 동네로부터 그의 시골집까지의 동선을 따라 도로 CCTV 영상들을 비교 추적한 끝에 협박범의 꼬리를 잡아낼 수 있었다. 밤을 꼬박 새워 모든 동선에 모습을 드러낸 자동차를 찾아낸 그는 서둘러 차량 번호로 운전자의 신원을 조회했다.

운전자의 이름은 정희태, 초등학교 교사였다. 게다가 딸의 담임이었다니. 등잔 밑이 어둡다고 했던가. 우연이라고 하기엔 너무나도 절묘한 상황이었다. 협박범은 동규의 가장 가까이서 그를 지켜보며 그의 목을 조여 오고 있었던 것이다.

긴 연휴가 시작되기 바로 전날, 동규는 수업이 끝나 텅 비어 있는 교실로 희태를 찾아갔다. 안전한 곳에 숨어 남을 조종하고 이용하다 자신의 정체가 발각되었다는 걸 깨닫게 된다면 과연 그가 어떤 표정을 지을지 궁금했다.

동규가 교실 문을 활짝 열어젖히며 모습을 드러내자 희태는 잠시 당황한 기색을 내비쳤다. 동규는 희태에게 시선을 꽂은 채

성큼성큼 걸어가 그와 마주 섰다. 뜻밖의 상황에 멍해 있던 희태가 얼굴에 옅은 미소를 띠며 물었다.

"민서 아버님께서 여기는 어쩐 일이세요?"

아무렇지 않은 듯 행동하는 희태의 반응에 동규가 능청스러운 말투로 맞받아쳤다.

"제가 민서 아빠라는 건 어떻게…… 혹시 전에 뵌 적이 있었나요?"

"아, 수업 시간에 존경하는 사람을 발표하는 시간이 있었거든요. 그때 민서가 아버님 사진을 가져와서 발표를 하던 게 기억에 남아서요. 자기 아빠는 세상에서 제일 강하고 정의로운 경찰이라고 하더라고요."

동규가 웃음기 가신 얼굴로 이죽거렸다.

"하, 경찰한테 거짓말하면 못써. 부모님이 그런 것도 안 가르쳐 주디?"

"제가 왜 아버님께 거짓말을 하겠어요."

"이 새끼 봐라. 계속 모른 척하겠다고? 아버지는 옥상에서 떨어져 사망, 어머니는 뺑소니로 사망, 뺑소니범도 사망. 재밌던데? 네가 살던 곳마다 누군가 죽어 나갔던데 한 번도 용의선상에 오른 적이 없더라? 작정하고 더 파 보면 네 주위에 죽은 사람들이 몇 명이나 더 나올까? 어? 너 하나 엮어서 감옥 보내는 건 일도 아니야."

희태는 어리둥절한 표정을 지으며 대답했다.

"저는 민서 아버님께서 무슨 말씀을 하시는 건지 전혀 모르겠네요. 왜 갑자기 저를 범죄자 취급하시는지……."

"그래도 이 새끼가."

동규는 희태를 협박하듯 험악한 표정을 지었다.

"동영상 넘겨. 떳떳하지 못한 입장인 건 너도 매한가지 같은데, 오기 그만 부리고 이쯤에서 끝내. 더 이상 네 같잖은 장난질에 어울려 줄 생각 없으니까."

희태의 얼굴에 옅은 미소가 번졌다.

"글쎄요. 그게 마음대로 되실지 모르겠네요. 저는 누구랑 달리 잃을 게 별로 없는 사람이라서요. 근데 민서 아버님, 지금 이러고 있으실 시간 없지 않으세요?"

화가 머리끝까지 차오른 동규가 손을 뻗어 희태의 목을 움켜잡고 그를 칠판 쪽으로 몰아세웠다. 동규에게 목을 잡힌 희태는 시간을 보채는 듯 혀를 차며 똑딱똑딱 소리를 냈다. 동규의 손아귀가 점점 더 강한 힘으로 목을 압박할수록 희태는 더 빠르게 똑딱똑딱 소리를 냈다.

동규의 엄지손가락에 맞닿은 희태의 맥박이 살기 위해 발버둥

치는 듯 빠르고 규칙적으로 날뛰었다. 희태는 동규의 손이 목을 점점 더 조여 옴에도 그의 손을 뿌리치지 않았다. 희태의 얼굴이 산소를 갈망하며 빨갛게 달아오를수록 그는 기괴한 웃음소리를 냈다. 등골이 서려 오는 기분 나쁜 웃음이었다.

그의 눈엔 두려움이 담겨 있지 않았다. 오히려 그는 동규가 이런 공공장소에서 자신을 죽일 리 없다는 확신에 찬 눈빛을 하고 있었다. 동규가 이내 손의 힘을 풀어 잡고 있던 희태의 목을 놓았다. 새빨개진 목을 어루만지며 마른기침을 내뱉는 희태를 뒤로하고 동규는 교실을 박차고 나갔다. 살기 위해 날뛰던 희태의 맥박이 동규의 손안에서 아직도 생생하게 느껴졌다.

동규는 희태를 그 자리에서 죽여 버리고 싶은 충동이 강하게 일었지만 이내 이성을 되찾았다. 아직은 때가 아니었다. 사실 동규가 희태의 신원을 조회하다가 놀랐던 건 그가 민서의 담임 선생이어서만은 아니었다. 그들의 연은 그보다 더 과거로부터 이어져 있었다.

동규는 어렸을 적부터 경찰이 되고 싶었다. 그의 엄마가 그를 버리고 떠난 후 아버지의 화풀이에 엉망이 되어 단칸방에 방치되어 있던 어느 날, 그를 그 구덩이에서 구출해 낸 건 이웃의 신고를 받고 출동한 경찰들이었다. 그에게 경찰은 생명의 은인이자 동경의 대상이었다.

하지만 경찰이란 직업은 보여지던 것만큼 마냥 멋있고 이상적이지만은 않았다. 동규가 경찰이 되자마자 맡게 된 첫 사건 또한 그러했다. 한 남자가 옥상에서 떨어져 사망한 사건. 남자는 발견 당시 이미 사망한 후였다. 현장에 함께 있었던 남자의 아내는 그가 옥상에서 떨어졌을 당시 의식이 없었기 때문에 열세 살짜리 아들만이 사건의 유일한 목격자였다.

동규는 목격자 진술을 위해 병원을 방문했다. 병원엔 죽은 남자의 아내와 아들이 같이 이송되어 치료를 받고 있었다. 여전히 의식을 잃은 채 병실에 누워 있던 여자와 그런 여자를 가만히 지켜보고 있던 그녀의 아들. 두 사람 모두 누군가에게 심하게 폭행당한 몰골이었다. 굳이 묻지 않아도 누가 그 두 사람을 그 지경으로 만들었는지는 대충 짐작할 수 있었다.

무엇이 옳은 행동이었을까. 아이의 말을 곧이곧대로 받아들여 사고사라고 보고를 올리는 게 맞는 행동이었을까, 아니면 사연이야 어떻든 의심쩍은 혐의점을 파고들어 진실을 파헤치는 게 옳은 행동이었을까. 자살이든, 타살이든, 사고사든 동규에겐 죽어야 할 사람이 죽은 사건으로밖에 보이지 않았다. 동규는 자신의 첫 사건을 회상하며 어디론가 전화를 걸었다. 이제는 그의 알

량한 동정심이 불러온 화를 바로잡아야 할 때였다.

동규는 자신이 경찰과는 거리가 먼 사람임을 잘 알고 있었다. 경찰이란 자고로 국민을 보호하고 법과 질서를 수호하는 사람이어야 했다. 사람의 목숨을 벌레만도 못하게 여기고, 자신의 기준으로 그들의 죄를 판단하는 동규 같은 사람이 아니라.

그럼에도 동규는 계속해서 경찰이길 선택했다. 경찰이란 직업은 그에게 여러모로 유용했다. 경찰은 법을 가장 가까이서 수호해야 하는 사람인 만큼 법의 사각지대나 허점 또한 쉽게 악용이 가능했기 때문이다. 그러니 승찬이나 희태를 몰래 처리하는 것도 동규에게는 그다지 어려운 일이 아니었다.

하지만 동규는 이번만큼은 일을 조금 크게 키우고 싶어졌다. 은밀하고 비밀스럽게 처리했던 예전 살인들과 달리 이번만큼은 약간의 유희를 즐기고 싶다는 생각이 들었다. 그는 엉망으로 일그러진 희태의 얼굴을 꼭 보고 싶었다. 감히 은혜를 원수로 갚고 그를 쥐락펴락하려 했던 희태를 쉽게 죽여 버리고 싶지는 않았다. 동규는 그에게 좀 더 고통스러운 결말을 선사하고 싶었다.

마리오네트

1.

오늘의 식사 당번인 유원은 일찍 일어나 아침 식사를 준비 중이었다. 현관문 밖에선 엘리베이터 문이 열리는 소리와 무거운 박스를 바닥에 내려놓는 소리가 들렸다. 곧이어 딩동 소리와 함께 그의 휴대 전화에 다음과 같은 문자가 도착했다.

'안녕하세요, 고객님. 주문하신 신선 식품이 고객님의 집 앞으로 배달되었습니다. 혹시 상품을 수령하지 못하셨거나 상품에 이상이 있는 경우 고객 센터로 연락 주세요. 이용해 주셔서 감사

합니다.'

배달원이 엘리베이터를 타고 다시 내려가는 소리가 들리자 유원은 늘 하던 대로 현관문을 열어 택배 상자를 향해 손을 뻗었다. 그 순간, 누군가 등 뒤에서 그의 목덜미에 주삿바늘을 깊숙이 꽂아 넣었다. 대응할 겨를도 없이 주사기 속 액체는 빠르게 그의 몸속으로 침투했다. 환각에 빠진 유원의 정신은 온전치 않았다. 온몸이 붕 떠 있는 듯한 기분이 들었다.

그의 팔다리는 마치 마리오네트처럼 그의 의지가 아닌 다른 누군가의 조종에 의해 움직였다. 조각조각 잘린 필름처럼 그의 눈앞을 스쳐 가던 건, 베개에 얼굴이 깔려 발버둥 치는 여동생, 온몸이 피범벅이 된 엄마, 그리고 그들을 죽음으로 내모는 그의 두 손과 그의 손을 감싸 쥔 또 다른 손이었다.

약에 취한다는 게 이런 느낌일까. 마약은 기분 좋은 환상만 보여 주는 줄 알았는데, 유원의 눈앞에 펼쳐진 건 상상조차 하기 싫은 끔찍한 악몽이었다. 마약이 계속해서 유원의 정맥을 통해 투여되자 그를 괴롭히던 지독한 악몽은 어느새 깨기 싫은 황홀한 꿈으로 둔갑했다. 이제는 영영 현실로 돌아올 수 없는 꿈. 그것은 유원의 마지막 꿈이었다.

*

희태가 유일하게 연을 맺고 있는 유원과 그의 가족을 죽일 색다른 방법을 모색한 동규는 마치 선물을 기대하는 어린아이처럼 어린이날을 손꼽아 기다렸다. 그는 준비한 계획을 머릿속에서 몇 번이고 그려 보며 들뜬 마음으로 하루하루를 보냈다.

어제 동규는 희태가 있는 학교에서 나와 누군가로부터 주사기와 몇 가지의 약물을 제공받았다. 사람을 한순간에 의지 없는 껍데기로 만들어 준다는 약물이었다.

유원의 목덜미에 주삿바늘을 깊숙이 찔러 넣자 전해 들은 대로 약의 효과는 곧바로 나타났다. 유원은 순식간에 약에 취해 사리 분별은커녕 가족조차 알아볼 수 없는 상태가 되었다.

동규는 유원이 어떤 환상 속에 빠져 있을지 궁금했다. 마약에 취한다는 건 어떤 기분일까. 약물은 어떤 면에서는 동규가 유원에게 베푼 선의라고도 볼 수 있었다. 적어도 그는 자신이 저지르게 될 끔찍한 상황보다는 더 나은 환상 속에 갇혀 있을 테니 말이다.

처음 순서는 현관과 제일 가까운 방에서 자고 있던 유원의 여동생이었다. 문 쪽에 세워져 있던 전신 거울에 비틀거리는 유원의 모습과 그를 뒤에서 붙잡고 있는 동규의 모습이 비쳤다.

동규는 유원이 정말로 말 잘 듣는 인형이 됐는지 확인이 필요했다. 동규는 유원을 이끌어 그를 그의 여동생의 몸 위에 앉혔다. 그리고 동시에 자신이 직접 곤히 자고 있는 그녀의 얼굴을 있는 힘껏 베개로 압박했다. 여동생의 팔다리가 살기 위해 이불 안에서 발버둥 치자 유원의 몸 또한 그녀의 몸 위에서 들썩들썩 움직였다. 동규가 더 세게 베개를 조이자 그녀의 몸부림이 점점 잦아들다 어느새 더 이상 미동조차 하지 않았다.

그렇게 자신의 동생을 죽이는 데 일조한 유원의 동공은 초점 없이 허공을 응시하고 있었다. 그는 정말 자신이 무슨 짓을 저지르고 있는지도 모르는 것 같았다.

다음으로, 동규는 부엌으로 가서 유원의 손에 식칼을 쥐여 주었다. 그러고 나서 그의 등을 떠밀어 안방으로 향했다. 방 안엔 유원의 어머니가 곤히 잠들어 있었다. 동규는 유원의 뒤에서 그의 손을 단단히 붙잡았다. 칼을 쥔 유원의 손이 동규가 움직이는 대로 같이 움직였다.

그들의 손이 누워 있는 어머니를 마구잡이로 쑤셔 댔다. 칼이 몸속을 헤집어 놓는 고통 속에 눈을 뜬 유원의 어머니는 자신을 가차 없이 난도질하는 사람이 자신의 아들이라는 가혹한 현실과 마주해야 했다. 그녀의 마지막 순간을 더 처참하게 만든 건 살이 찢기는 고통이었을까, 아니면 마음을 갈가리 찢어 놓은 아들의 멍한 얼굴이었을까.

날카로운 바람 소리를 내며 춤을 추는 칼날, 살을 파고들고 뼈를 으적이는 칼끝, 솟구치고 흩뿌려지는 피, 공포에 잡아먹힌 표정, 목구멍에서 쏟아져 나오는 피를 토하며 꼴깍꼴깍 쉬는 숨, 필사적으로 꽉 쥐고 있던 무언가를 마지못해 스르르 놓아 버리는 듯한 얼굴. 이 참담하고도 매혹적인 인간의 마지막 순간은 동규가 살인을 멈출 수 없는 이유였다.

볼일이 다 끝나자 동규는 인형 놀이에 질린 아이처럼 유원을 아무렇게나 내팽개쳤다. 자신의 흔적을 모두 꼼꼼하게 처리한 뒤 동규는 유원의 팔꿈치 안쪽에 또다시 주삿바늘을 꽂아 더 많은 양의 약물을 주입했다. 그가 행복한 꿈에서 깨어나지 않도록 해 줄 치사량이 넘는 약물이었다.

2.

어린이날 이른 아침, 희태는 동규를 미행 중이었다. 검은 옷에 검은 헬멧을 뒤집어쓴 동규는 집에서 나와 어디론가 급하게 향하는 중이었다. 거리를 두고 동규의 뒤를 밟던 희태는 지금 이 상황이 무척이나 부자연스럽다는 생각이 들었다. 그는 왜 이런 꼭두새벽부터 저런 옷차림으로 거리를 활보하는 걸까. 이건 그들이 승찬을 죽이기 위해 같이 짠 계획과 달랐다.

한 가지 확실한 건 동규는 단독 행동을 하고 있었다. 아무리 희태의 정체를 알아냈다고는 해도 약점이 잡힌 이상 허튼 수는 쓰지 못할 거라고 생각했는데 마음이 초조했다. 동규를 살려 두기로 한 결정을 후회할 것만 같은 불길한 예감이 들었다. 돌이킬 수 없는 일이 벌어지기 전에 어떻게든 그를 막아야 했다.

잠시 후, 동규가 인적이 없는 좁은 골목길로 방향을 틀었다. 희태는 자신의 허리춤을 더듬어 숨겨 놓은 칼을 다시 한번 확인했다. 기습이 통하지 않는 일대일 상황에 대비해야 했다. 상대는 산전수전 다 겪은 강력계 형사이자 연쇄 살인마였다. 그를 무사히 제압할 수 있을지 아니, 그에게 당하지 않고 살아남을 수 있을지조차 장담할 수 없었다.

골목 모퉁이를 돌자마자 동규가 희태의 시야에서 사라졌다. 눈앞은 갈림길이었다. 동규의 행방을 찾아 두리번거리던 희태를 누군가 급습했다. 동규를 미행하느라 정작 자신의 뒤는 살피지 못했던 희태는 방어 자세를 취하기도 전에 날아온 주먹에 턱을 맞고 정신을 잃었다.

다시 의식을 되찾은 희태가 눈을 뜬 곳은 한 휑한 폐공장 안이었다. 희태의 왼손은 수갑에 매여 있었고, 수갑의 다른 한쪽은 벽에 고정되어 있었다.

"깼어?"

목소리를 따라 고개를 드니 그곳엔 승찬이 서 있었다. 희태의 얼굴이 굳어졌다. 왜 다른 사람도 아니고 승찬이 자신을 납치한 것인지 놀랐지만, 이내 동규와 승찬 사이에 모종의 거래가 있었음을 직감했다. 승찬은 희태 맞은편에 자리를 잡고 앉아 대화를 시도했다.

"그나저나, 학교 선생이 어쩌다가 경찰이랑 엮이게 된 거야?"

질문을 던지는 그의 눈이 호기심으로 반짝거렸다. 희태는 대답 없이 그의 얼굴을 찬찬히 들여다봤다. 그는 궁금증을 해소하기 위해서라면 사람도 거리낌 없이 죽일 듯한 눈을 가지고 있었다.

아무 대답도 없는 희태를 빤히 쳐다보며 승찬이 다시 물었다.

"동영상 원본은 어디 있어?"

"하, 한 형사님이 동영상 원본 찾아서 없애라고 하시던가요?"

희태가 어이가 없다는 표정으로 물었다.

"오, 이제야 좀 대화할 마음이 생겼나 보네. 알아들었으면 괜히 힘 빼지 말고 좋게 좋게 가자."

승찬이 등을 의자에 기대고 앉으며 대답했다.

"그 동영상이 어떤 동영상인지는 알고 이러시는 건가요?"

"그게 중요한가? 어차피 내 손에 들어오면 어련히 알게 될 내용인데."

희태가 비장한 얼굴로 대답했다.

"그 사람, 살인자예요. 두 사람 사이에 어떤 거래가 있었는지는 모르겠지만, 그 사람은 절대로 당신의 요구를 순순히 들어주지 않을 거예요. 오히려 입막음을 위해 당신의 목숨을 위협하겠죠. 지금 제가 처한 이 상황처럼요."

"무슨 소리를 이렇게 진지하게 하나 했네. 그래서 그게 뭐."

희태의 말이 끝나자마자 승찬이 우습다는 듯이 콧방귀를 뀌었다.

"똑똑한 양반이 하나만 알고 둘은 모르네. 그 사람이 살인자건 뭐건 그런 건 별로 중요한 게 아니야. 그 사람이 내게 돈을 쥐여 줄 사람인지, 아님 내 주머니에 든 것까지 뺏어 갈 사람인지가 중요하지. 그러니까 내 사업에 도움만 된다면 한동규 형사가 어떤 지저분한 취미를 갖고 있는지 따위는 내 알 바가 아니야."

승찬의 대답을 들은 희태가 할 말을 잃고 입을 꾹 다물었다.

애당초 대화가 통할 거라 생각했던 게 오산이었다.

“한 형사가 살인자라는 걸 몰랐던 것도 아니고 말이야. 우리가 이래저래 도움을 주고받는 사이거든. 그동안 약에 중독된 경찰들도 만나 봤는데, 그 양반은 약보다 살인할 때가 더 좋다더라고. 뭐, 취향 차이라고 생각해.”

법의 감시망을 요리조리 피해 사업을 키운 승찬에게 경찰 쪽 커넥션이 있을 거라는 생각을 안 해 본 건 아니지만 그가 동규와 손을 잡고 있었을 줄은 생각지도 못했다.

“그래서 동영상은?”

승찬이 다시 물었다.

“무슨 말을 해도 안 먹힐 것 같은 상황에서 제가 뭘 어쩌겠어요. 그나마 동영상만이 제 유일한 목숨줄인 것 같은데 그거라도 꽉 붙잡고 있어야지.”

침묵을 선택한 희태를 바라보며 승찬이 웃음기 어린 얼굴로 말했다.

“보기보다 고집이 있네. 보기보다 멍청하고. 네가 말 안 하고 버틴다 해도 여기서 살아 나가긴 힘들 것 같은데 말이야.”

희태는 말없이 승찬을 노려봤다.

“이렇게 누구는 죽기 살기로 입을 꾹 다물고, 누구는 그 입을 열기 위해 온갖 고문을 하고. 그런 거 재미는 있지만 사실 너무 시간 낭비, 에너지 낭비잖아."

학교에서 있었던 일을 집에 와서 부모님에게 알리는 어린아이처럼 승찬이 신나게 떠들어 댔다.

"근데 이번에 기가 막힌 게 하나 들어왔는데, 이젠 이것만 있으면 그럴 필요가 전혀 없다는 거야. 이게 몸에 주입되는 순간 어떤 비밀이건 바로 다 털어놓게 된다니까. 죽이지?"

한창 신나게 말하던 승찬이 표정을 굳히더니 느닷없이 희태의 뺨을 갈겼다.

"근데 이 새끼 이거 말투며 눈빛이며 되게 맘에 안 드네."

승찬의 투박한 손이 연속으로 희태의 얼굴을 강타했다. 힘이 잔뜩 들어가 있던 희태의 눈빛이 신음 소리와 함께 꼬리를 내렸다. 승찬이 혀를 차며 말했다.

"쯧, 엄살 피우는 꼬라지 보니까 비싼 약 안 쓰고 손가락 몇 개만 잘라도 술술 불 것 같긴 한데."

승찬이 잠시 고민하다 자리를 박차고 일어나 뒤편에 세팅되어 있던 테이블에서 약물을 준비하기 시작했다.

"아무튼 한동규 형사, 그 인간이 보통 미친 인간이 아니라는 건 나도 인정. 그 인간 지금 사람 죽이러 간 거 알아? 가서 가족들 싹 다 죽일 거라던데? 철천지원수도 아니고, 잘 알지도 못하는 사람들을 누가 그렇게까지 해? 아주 신났더라고. 암만 생각해도 정상은 아니야."

승찬의 말을 들은 희태의 얼굴이 딱딱하게 굳어졌다.

"누구를 죽이러 간 건데요?"

"그건 네가 제일 잘 알지 않을까?"

승찬의 물음에 희태가 의아한 표정을 지었다.

"그게 무슨……."

"너 유원이 친구라며."

희태의 심장이 빠르게 뛰었다.

"지금 시간이 얼마나 지났죠?"

"이미 다 죽이고도 남았을 만큼 지났지."

승찬이 망연자실해 있는 희태를 보며 말했다.

"에휴, 어쩌다 그런 미친놈한테 잘못 걸려서는. 쯧쯧. 그래도 바로 죽이지는 않을 테니 걱정 마. 그 인간이 나보고 너 건드리지 말고 동영상만 확보해 달라고 하더라. 너는 꼭 자기가 직접 천천히 가지고 놀다가 처리하고 싶다고. 약 기운 없이도 그렇게 제정신 아닌 놈은 처음이라 대화하면서도 솔직히 조금 쫄렸다니까."

승찬이 허공을 응시한 채 동규의 서늘한 눈빛을 떠올렸다. 그는 바로 정신을 가다듬더니 노련한 동작으로 약물을 주사기에 옮겨 담았다.

약물 준비에 열중해 있던 승찬의 뒤로 희태의 그림자가 드리웠다. 그는 자신이 입고 있던 재킷을 끈처럼 길게 둘둘 말아 잡고 승찬의 뒤로 접근했다. 이내 그 재킷이 줄넘기처럼 허공을 한 바퀴 빙 돌아 빠르게 승찬의 목에 안착했다. 희태가 있는 힘껏 뒤에서 그의 목을 조였다. 비닐 재질의 재킷이 승찬의 발버둥 치는 소리와 함께 바스락거렸다.

거칠게 저항하던 승찬이 발꿈치를 높이 들어 희태의 발등을 내려찍었다. 희태의 손에서 힘이 빠진 틈을 타 승찬이 목에 감겨 있던 재킷을 잡아채고 희태를 밀쳐 냈다. 숨을 고를 새도 없이 이번엔 희태의 주먹이 승찬의 얼굴을 향해 날아들었다. 반사적으로 몸을 꺾어 겨우 주먹을 피한 승찬이 반격을 위해 희태에게 달려들었다.

승찬에게 몸통이 붙잡힌 희태는 그를 떼어 내기 위해 주먹과 팔꿈치로 그의 등을 사정없이 내려찍었다. 승찬은 멈추지 않고 달려들어 희태를 막다른 곳으로 밀어붙였다. 희태가 승찬의 힘에 밀려 둔탁한 소리와 함께 벽을 향해 거칠게 내던져졌다.

승찬은 바로 희태의 멱살을 붙잡고 그를 바닥에 내리꽂았다.

희태는 고통 속에 옅은 신음 소리를 냈다. 그가 다시 몸을 일으키기 전에 승찬이 재빨리 그의 몸에 올라탔다. 승찬이 희태를 향해 주먹을 날리려는 순간, 그의 허벅지에서 새빨간 피가 흘러나왔다. 승찬이 통증이 느껴지는 곳을 따라 고개를 돌리니 이번엔 그의 아랫배에서 피가 쏟아져 나왔다. 이내 승찬이 희태 위로 고꾸라졌다.

희태는 자신의 몸 위에 엎어진 승찬을 옆으로 내팽개치고는 숨을 거칠게 몰아쉬었다. 그는 지금껏 완벽한 계획과 유리한 상황에서만 상대를 처리해 왔지, 이번처럼 육탄전 끝에 누군가를 죽인 건 처음이었다. 희태의 몸이 가늘게 떨렸다. 허리춤에 숨겨놨던 칼이 아니었다면 피를 쏟아 내고 차디찬 바닥에 엎어졌을 사람은 승찬이 아닌 그였을 것이다.

한참을 그 자리에 앉아 숨을 돌리고 나니 그제야 온몸 이곳저곳에 통증이 밀려오기 시작했다. 그의 손목에 채워져 있던 수갑이 풀린 채 벽에 매달려 있었다. 때마침 민서가 준 클립이 주머니에 있었던 행운을 생각하니 적어도 자신의 명줄이 여기까지는 아니라는 생각이 들었다.

희태는 머릿속이 복잡했다. 유원과 그의 가족을 구하러 가야 한다는 마음과 지금 가도 달라질 건 없을 거라는 마음이 충돌하며 쉽사리 결정을 내리기 어려웠다. 인정하고 싶진 않지만, 그들이 아직까지 살아 있을 확률은 매우 희박했다. 이미 시간이 많이 지나 있었다.

의외로 슬픈 감정은 들지 않았다. 희태는 그저 자신의 무력함에 화가 났다. 그는 이번에도 사랑하는 사람들을 지켜 내지 못했다. 그는 매번 누군가를 잃기만 했다. 시간이 지나 흥분이 서서히 가라앉으며 희태의 머리가 차갑게 식었다. 지금은 상실감에 빠져 있기보다 동규를 어떻게 죽여야 할지를 고민해야 할 때였다. 동규가 방심하고 있는 지금이 그를 잡을 유일한 기회라는 생각이 들었다.

이젠 그의 소중한 것을 똑같이 빼앗아 고통을 몇 배로 돌려줄 차례다.

3.

한적한 도로 위, 빨간불 앞에 서 있던 자동차가 브레이크가 풀렸는지 천천히 앞으로 움직이다 앞차를 박았다. 앞차에 타고 있던 지원은 갑자기 벌어진 어이없는 상황에 눈살을 찌푸렸다. 평소대로라면 이런 상황에 신경질부터 부렸겠지만, 이번만큼은 그럴 수 없었다. 딸아이 민서가 바로 뒷좌석에 타고 있었기 때문이었다.

민서는 엄마가 하는 거라면 뭐든지 따라 한다. 엄마가 웃으면 민서도 따라 웃고, 엄마가 인상을 쓰면 민서도 똑같이 얼굴을 찌푸린다. 그래서 지원은 최대한 부정적인 감정을 내비치지 않기 위해 노력 중이었다. 무엇보다 사소한 접촉 사고 때문에 가족들과 보내는 휴가를 시작부터 망치고 싶진 않았다. 역시나 이번에도 온 가족이 다 같이 모이진 못했지만 말이다.

이번 주말은 어린이날이라 공휴일인 오늘부터 민서 학교의 개교기념일인 금요일까지 합쳐 무려 4일이나 연휴가 이어진다. 남편 동규는 몇 달 전부터 이번만큼은 꼭 시간을 내겠다고 했지만, 언제나 그랬듯 휴가가 시작되기 며칠 전에 급한 일이 생겼다며 미안하다는 말만 했다. 아무리 시간을 같이 못 보내게 되었더라도 최소한 아침에 배웅이라도 해 주길 바랐건만, 동규는 꼭두새벽에 나가 집에 없었다. 일이 빨리 마무리되면 늦게라도 합류하겠다고 했지만, 민서는 여전히 실망이 가득한 얼굴이었다.

"민서 괜찮아?"

"응, 그런데 차가 꽁 했어!"

"그래, 민서 말대로 차가 꽁 했네. 엄마 잠깐 나갔다 올 테니까 내리지 말고 차에 있어."

지원이 차에서 내려 뒤쪽 범퍼를 확인했다. 다행히 차에는 아무런 이상이 없어 보였다. 지원이 차를 확인하는 사이 한 남자가 뒤차에서 내려 다가왔다. 희태였다.

"정말 죄송합니다. 제가 한눈팔다가 그만……. 다치신 곳은 없으세요?"

"네, 괜찮아요."

지원이 고개를 들어 희태의 얼굴을 확인하더니 놀란 표정으로 물었다.

"어머, 민서 담임 선생님 아니세요?"

희태도 놀라며 어색한 미소를 지었다.

"아, 민서 어머님이셨군요. 학부모 상담 이후로 몇 달 만에 뵙네요."

"네, 신기하네요. 이렇게 밖에서 뵙다니."

"그러게요. 어머님께 안 좋은 모습 보여 드려서 죄송합니다. 제가 조심했어야 하는 건데……."

"아니에요. 살짝 닿기만 한 건데요, 뭐. 범퍼도 멀쩡하고."

"그래도 혹시 나중에라도 이상이 발견되면 연락 주세요. 정말 죄송합니다.”

“네, 혹시라도 그러면 연락드릴게요.”

희태는 별안간 자신의 휴대 전화를 손에서 놓쳐 바닥에 떨어뜨렸다. 그는 외마디 비명을 지르며 주저앉아 휴대 전화를 이리저리 살폈다. 콘크리트 바닥을 데굴데굴 구른 휴대 전화는 이미 액정이 박살 난 상태였다. 애꿎은 휴대 전화 화면만 거칠게 눌러대던 희태는 고개를 들어 지원에게 조심스레 물었다.

“저기…… 정말 실례인 줄은 알지만 혹시 전화 한 통만 빌려 쓸 수 있을까요? 급하게 연락을 해야 할 일이 있어서요.”

“아, 네. 그럼요. 여기 있어요.”

지원이 휴대 전화를 건넸다. 전화기를 넘겨받은 희태는 빠르게 문자 목록으로 들어가 미리 보내 놓은 스팸 문자 링크를 클릭했다. 동규의 연락을 차단시킬 해킹 프로그램이 자동으로 설치되는 링크였다. 아무 번호나 눌러서 누군가 전화를 받자 일방적으로 통화하는 척하다 끊은 희태는 지원에게 휴대 전화를 돌려주며 말했다.

“아, 정말 감사합니다. 그리고 폐를 끼쳐서 정말 죄송합니다. 제 핸드폰은 오늘 바로 고쳐 놓을 테니 문제 생기시면 꼭 연락주세요.”

“네, 알겠습니다.”

지원은 차로 돌아가 민서를 불렀다.

“민서야, 밖에 누가 있는지 봐 봐.”

차에서 내린 민서가 희태를 발견하고는 반갑게 소리쳤다.

“선생님!”

“민서, 안녕. 엄마랑 어디 놀러 가?”

“네! 그런데 선생님이 왜 여기 있어요?”

“선생님도 놀러 가지.”

“혼자서요?”

“응, 혼자서.”

“그럼 선생님도 우리랑 같이 놀러 갈래요?”

지원이 민망한 표정을 지었다.

“민서야, 선생님 귀찮게 하면 안 돼.”

희태가 지원의 눈치를 살피며 물었다.

“어머님, 혹시 괜찮으시면 제가 음료라도 한잔 대접해도 될까요?”

“네? 아니에요. 그럴 순 없죠. 민서야, 이제 선생님께 인사드리고 가야지.”

희태가 재빨리 말을 이어 갔다.

“밖에서 민서 만난 게 반갑기도 하고 어머니께도 너무 죄송해서요. 민서야, 선생님하고 아이스크림만 먹고 헤어지는 거 어때?"

"좋아요! 저는 딸기 맛 아이스크림 먹어도 돼요?"

"그럼, 민서 좋아하는 맛으로 먹어도 되지!"

희태와 민서가 고개를 돌려 지원을 바라봤다. 지원은 갑작스러운 상황에 곤란했지만, 도저히 안 된다는 말을 할 수가 없었다. 아침 내내 부루퉁해 있던 민서가 이제야 환하게 웃고 있었다. 지원이 못 이기는 척 희태의 제안을 승낙했다.

"그럼 가까운 가게에 잠깐 들를까요?"

"네, 먼저 출발하시면 제가 뒤따라가겠습니다."

*

할 일을 모두 마친 동규는 서둘러 승찬과의 약속 장소로 향했다. 유원과 매우 즐거운 시간을 보낸 동규는 아직도 흥분이 채 가시지 않은 상태였다. 그는 한시라도 빨리 지금 이 기분 그대로 희태를 상대하고 싶었다. 줄곧 오만한 태도를 보였던 희태를 야금야금 무너뜨리고 그가 고통스러워하는 모습을 천천히 지켜보고 싶었다.

조만간 유원과 그의 가족의 처참한 죽음을 발견한 누군가로부터 신고가 접수될 것이다. 신고를 받고 출동한 경찰들은 모든 가능성을 열어 두고 수사를 시작할 것이다. 하지만 그들은 이내 아무런 외부 침입 흔적도 찾지 못할 것이고, 결국 이번 일은 한 마약 사범이 약에 취해 환각 상태에서 자신의 가족들을 살해하고 과다 복용으로 사망한 것으로 결론 내려지거나 미결 사건으로 남게 될 것이다.

얼마나 많은 사건들이 진실이 밝혀지지 않은 채 미결 처리되어 서류 더미 형태로만 남게 되는지 형사인 동규는 잘 알고 있었다. 오랜 경찰 생활 중에서 유일하게 빛을 발하는 순간이 직접 범죄를 저지를 때뿐이라는 사실이 참 아이러니했다.

동규는 승찬과 만나기로 한 폐공장 앞에 차를 세웠다. 폐공장은 환한 대낮에도 안쪽까지 볕이 들지 않아 실내가 제법 어두웠다. 해가 지도록 놀이에 열중해도 방해받지 않을 아주 적당한 장소였다. 그는 폐공장 안으로 천천히 걸어 들어갔다. 공장 안은 암흑과 고요만이 깔려 있었다.

문득 동규는 뭔가 이상하다는 생각이 들었다. 자신을 기다리고 있어야 할 두 사람의 인기척이 전혀 느껴지지 않았다. 공장 안쪽으로 걸음을 내디딜 때마다 그의 눈이 어둠에 조금씩 적응되어 갔다. 두리번거리던 동규의 시선 끝에 덩그러니 쓰러져 있는 누군가의 실루엣이 어렴풋이 보였다.

가까이 가서 보니 승찬이 싸늘한 시체가 되어 쓰러져 있었다. 동영상 원본과 함께 예쁘게 잘 포장된 희태를 선물해 주기로 했던 승찬이 양손에 수갑이 채워진 채 누워 있었다. 그가 희태를 잡아 둘 때 필요하다며 막무가내로 빌려 갔던 동규의 수갑이었다.

불끈 쥔 동규의 두 주먹이 부들부들 떨렸다. 어디서부터 일이 잘못된 걸까. 만만하게 볼 놈이 아니라고 분명히 신신당부를 했는데, 애초에 마약쟁이한테 일을 맡긴 게 잘못이었을까. 요새 부쩍 동규의 통제를 벗어나는 일들이 자꾸만 생겨났다. 그리고 그건 매우 불길한 징조였다. 그는 자신이 통제 가능한 상황을 벗어나 본능에 몸을 맡겨 행동하는 상황이 오게 될까 두려웠다. 그로 인해 가족을 잃게 될까 무서웠다.

동규는 문득 아내와 딸이 떠올랐다. 다른 데 정신이 팔려 정작 가장 중요한 가족들을 까맣게 잊고 있었다. 아침에 출발한다고 했으니 지금쯤이면 잘 도착했다고 전화가 와야 할 텐데 아직 아무런 연락도 받지 못했다. 슬슬 불안이 고개를 들고 있는데 희태가 준 대포폰에서 알림음 소리가 띠링, 하고 울렸다. 화면에 나타난 건 아내와 딸의 모습이 찍힌 사진 한 장이었다. 어느 카페 안처럼 보이는 사진 속에서 민서는 아이스크림을 들고 즐거운 표정을 짓고 있었다.

곧이어 '다 찾았다 꾀꼬리'라는 문자가 도착했다. 동규가 아슬아슬하게 붙잡고 있던 이성의 끈이 뚝 끊어졌다. 그는 즉시 아내 지원에게 전화를 걸었다. 휴대 전화 너머에선 '고객님께서 전화를 받을 수 없습니다. 잠시 후에 다시 걸어 주시기 바랍니다.'라는 자동 음성이 흘러나왔다. 다시 전화를 걸어 봐도 마찬가지였다.

"씨발, 왜 안 받아!"

동규는 분노에 못 이겨 발을 구르며 소리쳤다. 다음 순간 전화벨이 울렸다. 그는 급하게 통화 버튼을 누르며 다짜고짜 소리쳤다.

"너 이 새끼, 우리 가족 건드리기만 해! 잡아서 아주 갈기갈기 찢어 줄 테니까."

[아유, 민서 아버님 진정하세요. 왜 이렇게 화가 나셨어요.]

"우리 가족들 어딨어."

[선물은 잘 받으셨어요?]

"우리 가족들 어딨냐고!"

[어디 있는지보다는 아직 살아 있냐고 묻는 게 더 맞지 않을까요?]

비아냥거리는 희태의 대답에 동규가 이성을 잃고 악을 질러댔다.

"야, 이 개새끼야! 내가 너 꼭 죽인다. 넌 절대 편하게는 못 죽어."

그때 갑자기 전화 너머로 민서의 목소리가 들려왔다.

[선생님, 저 아이스크림 다 먹었어요.]

[응, 곧 들어갈게. 안에 있어.]

[네.]

"민서야! 민서야!"

동규가 정신이 나간 듯이 애타게 민서를 불렀지만, 전화기 너머에선 더 이상 민서의 목소리가 들리지 않았다.

[어휴, 목청도 좋으셔. 걱정 마세요. 민서는 잘 있어요. 아직까지는요.]

동규가 떨리는 목소리로 대답했다.

"거기 어디야. 내가 갈게. 나랑 해결하자. 제발 애는 건드리지 마."

[형사님 창고로 오세요. 서둘러서 오시면 아마 가족들 만나실 수 있을 거예요. 아, 그리고 오시기 전에 거기 있는 시체 먼저 처리하셔야겠죠? 그대로 뒀다가 범인으로 몰리시면 안 되잖아요. 그럼 이따 뵙겠습니다.]

전화가 뚝 끊겼다. 동규는 절규에 가까운 고함과 함께 자신의 얼굴을 거칠게 쓸어내렸다. 그의 두 손이 가늘게 떨렸다. 허공을 헤매던 그의 시선이 승찬의 시체에 고정되었다. 잠시 그것을 노려보던 동규는 시체를 질질 끌고 공장에서 나와 그의 차가 있는 곳으로 이동했다.

승찬의 손에 채워진 수갑의 열쇠 구멍이 망가져 있었다. 지금 당장은 그의 손목을 잘라 수갑만 챙길 수 있는 도구도, 시체를 인멸할 상황도 마땅치 않았다. 무엇보다 한시라도 빨리 민서에게 달려가고 싶은 동규는 마음이 급했다.

결국 그는 승찬의 시체를 트렁크에 아무렇게나 구겨 넣고 급하게 운전석에 올라탔다. 차에 타자마자 동규는 자신의 휴대 전화를 운전석 옆 수납함에 던져 놓고 운전대를 잡았다. 그 순간, 차 안에 엄청나게 시끄러운 경고음 소리가 울려 퍼졌다.

"어우, 씨발. 깜짝이야."

소리가 나는 쪽으로 고개를 돌렸더니 동규의 휴대 전화 화면엔 긴급 재난 문자가 와 있었다. 동해 쪽에서 지진이 발생했다는 내용이었다. 동규는 신경질적으로 전화기 화면을 눌러 소리를 껐다.

그런데 바로 또 어디선가 경고음이 울렸다. 좌석 밑에서 나는 소리였다. 동규는 차에서 내려 운전석 밑을 더듬더듬 짚어 가며 소리의 출처를 찾아봤다. 하지만 손에 아무것도 닿는 게 없자 이번에는 차 뒷문을 열고 조수석 아래를 확인했다. 그곳엔 보조 배터리까지 야무지게 연결되어 있는 휴대 전화가 테이프로 부착되어 있었다.

"하…… 이런 미친 새끼가 진짜."

소리를 끄고 다시 운전석으로 돌아온 동규는 자신의 휴대 전화로 무언가 빠르게 검색하기 시작했다.

외나무다리

1.

희태는 창고 안에서 동규를 기다리고 있었다. 그는 동규의 차에 숨겨 놓은 휴대 전화로 동규의 위치를 파악하고 있었는데, 그 위치가 창고 근처였다.

이윽고 동규의 차가 창고 바깥에 정차하는 소리가 들렸다. 창고 문이 열리자 사각지대에 숨어 있던 희태가 문 앞으로 튀어나와 총 쏘는 자세를 했다. 그의 장갑 낀 손엔 테이저 건이 들려 있었다.

"움직이지 마세요!"

"우왁 씨, 뭐야!"

남자가 놀라 소리치며 두 손을 머리 위로 번쩍 들었다. 창고 안으로 모습을 드러낸 건 동규가 아니었다. 처음 보는 남자의 얼굴에 희태가 테이저 건을 살짝 내리며 어리둥절한 표정으로 물었다.

"누구세요?"

"대리 기사인데요?"

안절부절못하는 남자의 시선이 희태의 뒤로 향했다. 이상한 낌새를 눈치챈 희태가 고개를 돌리자 순간 커다란 그림자가 그를 덮쳤다. 창고 뒷문을 통해 숨어 들어온 동규였다. 동규가 발로 희태의 손을 걷어차자 그는 신음 소리를 내며 들고 있던 테이저 건을 놓쳤다. 이어서 동규는 희태의 얼굴에 주먹을 날렸다.

갑작스러운 동규의 공격에 희태는 맥을 못 추고 나가떨어졌다. 다시 몸을 일으켜 세우는 희태를 본 동규는 대리 기사를 향해 다급하게 외쳤다.

"기사님! 혼자 떨어져 계시면 위험해요. 얼른 제 옆으로 오세요."

그 말을 들은 대리 기사가 겁에 질린 얼굴로 동규 쪽으로 뛰어갔다. 동규는 대리 기사의 옷깃을 거칠게 잡아 자신의 앞으로 당겨 공격해 오는 희태 쪽을 향해 돌렸다.

몸을 던지던 희태는 급하게 멈춰 섰다. 얼떨결에 희태를 똑바로 마주 보게 된 대리 기사의 얼굴엔 공포가 가득했다. 새파랗게 질려 있던 대리 기사의 얼굴이 별안간 잔뜩 일그러지며 비명을 내질렀다. 그의 등엔 동규가 뒤에서 찌른 칼이 박혀 있었다.

동규는 그를 그대로 희태 쪽으로 힘껏 밀었다. 앞으로 밀려 중심을 잃은 대리 기사가 희태의 팔을 붙잡고 늘어졌다. 희태가 대리 기사를 뿌리치려는 순간, 동규의 주먹이 다시 희태를 향해 날아들었다. 희태는 빠르게 허리를 숙여 주먹을 피하고 허리춤에서 칼을 빼 들었다.

그가 동규의 몸통을 향해 칼을 내지를 때마다 동규는 몸을 돌려 피했다. 그렇게 계속 칼을 피해 뒷걸음질 치던 동규의 몸이 벽에 부딪혔다. 희태는 기회를 놓치지 않고 칼을 바꿔 쥐어 동규의 얼굴을 향해 내리꽂았다. 동규는 희태의 팔을 붙잡아 칼을 막았다. 하지만 칼끝이 점점 더 동규의 눈에 가까워졌다.

"으아!"

동규가 괴성을 지르며 온 힘을 다해 희태의 팔을 옆으로 밀어냈다. 칼이 한 끗 차이로 동규의 얼굴을 스쳐 지나 벽에 박혔다. 동규는 그 틈을 타 오른손으로 희태의 목을 잡고 그를 벽으로 밀쳤다. 희태가 신음하는 사이, 동규는 재빨리 쇠 파이프를 집어 들어 희태의 머리를 향해 휘둘렀다. 쇠 파이프는 희태가 막아 올린 그의 팔을 강타하며 둔탁한 소리를 냈다.

"아악!"

희태는 고통스러운 비명을 질렀다. 동규가 쇠 파이프를 휘두를 때마다 굉음과 함께 창고 안 물건들이 박살 났다. 희태는 도망 다니며 손에 잡히는 물건들을 동규에게 집어 던졌다. 쉽사리 희태에게 접근하지 못하던 동규가 찰나의 기회를 잡아 다시 한 번 쇠 파이프를 휘둘렀다. 매섭게 허공을 가른 쇠 파이프가 수납장에 박히더니 꼼짝도 하지 않았다. 희태가 그 틈을 타 동규의 옆구리를 힘껏 걷어찼다.

"윽!"

희태가 바닥에 엎어진 동규에게 달려들었다. 두 사람은 한참 동안 뒤엉켜서 몸싸움을 했다. 희태가 휘두른 주먹은 동규의 아래턱을 가격했고, 동규의 발길질은 희태의 윗배를 걷어찼다. 어떤 생각을 할 겨를도 없이 그저 눈앞의 상대방을 때려눕히기 위해 사력을 다하는 시간이었다.

기회를 잡은 희태가 동규의 몸 위에 올라타 사정없이 주먹을 휘둘렀다. 두 팔로 머리를 감싸 쥐고 한참을 얻어맞던 동규가 무심코 손에 잡힌 목공 용품을 휘둘렀다. 그것에 머리를 맞은 희태는 억 소리를 내며 옆으로 벌렁 나가떨어졌다. 동규는 그 기회를 놓치지 않고 벌떡 일어나 쓰러져 있는 희태를 발로 짓밟기 시작했다. 동규의 무자비한 발길질에 희태는 제대로 방어도 못 하고 몸을 움찔거렸다.

얼굴이 피범벅이 된 희태는 기절했는지 미동조차 하지 않았다. 그를 묶어 놓을 만한 도구를 찾기 위해 주위를 두리번거리던 동규의 시선이 창고 입구 쪽으로 향했다. 칼에 찔려 바닥에 쓰러져 있어야 할 대리 기사가 보이지 않았다.

"하, 이 새끼는 또 어디 갔어?"

동규는 자신의 주머니를 더듬었다. 아무것도 만져지는 게 없었다. 대리 기사가 아직 그의 차 키를 가지고 있다는 뜻이었다.

한편, 대리 기사는 칼에 찔린 몸을 비틀거리며 동규의 차가 주차되어 있는 곳으로 향하고 있었다. 칼이 박힌 상처에서 피가 계속 흘러나왔다. 난리 통에 휴대 전화를 떨어뜨려서 신고도 하지 못했다. 어떻게든 이곳을 빠져나가 직접 도움을 요청하는 수밖에 없었다.

대리 기사가 겨우 차가 있는 곳에 도착해 문을 열자 동규의 손이 뒤에서 불쑥 나타나 문을 다시 닫았다. 자신을 쫓아 뛰어나온 동규를 본 대리 기사는 놀라며 비명을 질렀다. 동규는 그의 등에 꽂혀 있던 칼을 뽑아 그의 가슴을 향해 찔러 넣었다. 그의 피가 흙바닥에 흘러내려 새빨간 웅덩이를 만들어 냈다. 동규는 거칠게 숨을 몰아쉬며 손에 묻은 피를 아무렇게나 옷에 닦았다.

그때 후방에서 희태가 나타났다. 희태는 한 손으론 칼을 쥔 동규의 손을 붙잡고 다른 한 손으론 클로로포름을 적신 손수건을 그의 코와 입에 갖다 댔다. 희태의 손아귀를 벗어나려 발버둥 치던 동규는 결국 의식을 잃고 쓰러졌다.

*

짝. 짝.

뺨을 때리는 소리가 창고 안에 울려 퍼졌다. 동규가 정신이 몽롱한 상태로 눈을 떴다. 희태의 무표정한 얼굴이 그의 시야를 가득 채웠다. 그가 또다시 동규의 뺨을 날리며 말했다.

“이제 그만 일어나세요. 언제까지 그러고 계실 거예요.”

빨갛게 부풀어 오르는 뺨과 함께 동규는 조금씩 정신을 차렸다. 그는 의자에 묶여 있었고, 입엔 테이프가 붙어 있었다. 그의 목에 무언가 닿아 있는 듯한 느낌이 들었다. 목덜미가 근질거렸다. 동규가 몸을 버둥대며 읍 읍 소리를 냈다.

"걱정 마세요. 형사님 가족들은 여기 없어요. 생각해 보니까 지금 죽는 것보단 살인자의 가족으로 살아가는 게 더 고통스러울 것 같더라고요. 특히 민서는 평생 살인자의 딸이라고 손가락질당하겠죠?"

동규의 눈꺼풀이 가늘게 떨렸다.

"그러게 다 죽일 필요까진 없었잖아요. 상관도 없는 사람들인데."

몸을 버둥거리는 동규의 눈앞에 희태가 경찰관이 그려진 그림 한 장을 꺼내 보였다.

"이게 뭔지 아세요? 민서가 그린 아빠 그림이에요. 너무 잘 그렸죠? 근데 민서가 아직 가위질이 좀 서툴러서 아빠 손가락을 다 엉망으로 잘라 놨더라고요. 저도 똑같은 모양으로 자르면 재밌을 것 같아서 한번 가져와 봤어요."

희태가 조경 가위를 집어 들고 동규에게 다가갔다. 그때 희태를 노려보던 동규의 표정이 바뀌었다. 웃는 표정 같았다.

"윽."

갑자기 희태의 옆구리에 극심한 고통이 몰려왔다. 희태가 고통이 느껴지는 곳을 따라 시선을 떨구니 어떤 여자의 희고 가냘픈 손목이 그의 옆구리 깊숙이 칼을 찔러 넣고 있었다.

칼을 쥔 팔목에 낯익은 화상 자국이 보였다. 아까 지원에게 휴대 전화를 건네받았을 때 그녀의 옷 소매 아래로 슬쩍 보이던 화상 자국과 같은 것이었다. 희태가 동규의 몸을 결박할 때 그의 몸에도 같은 화상 자국이 있었다.

그땐 알지 못했다. 사이 좋게 나눠 가진 화상 자국만큼이나 그들의 유대감이 짙고 깊은 줄은. 지원은 모든 걸 다 알고 있었다. 그녀는 종종 동규가 살인을 할 때마다 그의 곁에서 모든 걸 지켜봤다. 그들은 가장 은밀한 비밀을 공유한 사이였다.

희태가 바닥에 쓰러지자 지원은 급히 동규의 입에서 테이프를 떼어 냈다. 동규가 숨을 버겁게 내쉬며 물었다.

"민서는?"

"집에 데려다 놓고 왔어. 미안해. 많이 기다렸지."

동규는 출발하기 전, 대리 기사의 휴대 전화로 지원에게 전화를 걸어 가족들이 무사한 걸 확인하고는 그녀에게 지금까지의 일을 설명했다. 동규가 희태를 죽이는 모습을 지켜보기 위해 창고로 찾아온 지원은 동규가 결박되어 있는 예기치 못한 상황을 맞닥뜨렸다. 그녀는 동규의 손에 묶인 결박을 칼로 잘라 내며 걱정 어린 얼굴로 물었다.

"괜찮아? 많이 아프지. 목에 이건 또 뭐야?"

"지원아! 뒤!"

아직 다리 결박을 풀지 못한 동규의 다급한 외침에 지원이 빠르게 몸을 피했다. 희태가 휘두른 쇠 파이프가 날카로운 바람 소리를 내며 허공을 갈랐다. 희태가 지원을 향해 또다시 쇠 파이프를 휘두르려는 찰나에 지원이 그의 팔을 붙잡아 능숙한 유도 기술로 그를 엎어 쳤다. 희태는 둔탁한 소리와 함께 바닥에 내동댕이쳐졌다. 지원은 칼에 찔린 희태의 옆구리 상처를 걷어찼다.

"아악!"

희태가 고통 속에 비명을 내질렀다. 지원은 계속해서 희태를 짓밟았다. 무방비하게 얻어맞던 희태가 지원의 다리를 붙잡았다. 지원이 중심을 잃고 넘어지자 희태가 그녀의 몸 위에 올라타 목을 졸랐다.

"야, 이 개새끼야! 그만해!"

동규가 목청껏 울부짖었다. 그는 두 사람이 있는 방향으로 몸을 던졌지만 묶인 다리 때문에 앞으로 고꾸라졌다. 목이 졸린 지원의 얼굴이 괴상하게 일그러졌다. 희태는 더 세게 그녀의 목을 눌렀다. 한참을 발버둥 치던 지원이 이내 저항을 멈추고 손을 떨궜다.

"안 돼! 지원아! 아악!"

동규가 미친 듯이 소리를 질러 댔다. 희태가 땅에 누워 거칠게 숨을 고르며 말했다.

“와, 이런 상황은 정말 상상도 못 했네요. 아내분도 다 알고 계셨던 거예요?”

쓰러진 동규가 바닥에 떨어져 있던 칼로 다리에 묶인 줄을 자르고 희태를 향해 돌진했다. 그를 본 희태는 주머니에서 리모컨을 꺼내 버튼을 눌렀다. 동시에 동규의 목에 달려 있는 짖음 방지기가 작동되었다. 동규가 자리에서 쓰러져 목을 부여잡고 고통스럽게 몸부림쳤다. 그의 몸이 전기 충격으로 사정없이 비틀렸다.

“흐흐흐. 하하하하.”

전기 충격이 멈추자 동규가 바닥에 누운 채로 소름 끼치는 소리로 웃었다. 그는 어렴풋이 자신의 마지막을 직감했다. 이젠 모든 게 다 끝이었다. 더는 빠져나갈 구멍이 보이지 않았다. 희태가 바닥에 누운 상태로 동규에게 물었다.

“민서도 나중에 크면 엄마 아빠처럼 될까요?”

“민서는, 민서는 달라. 우리는 민서를 괴물로 키우지 않았어. 민서는 아무것도 몰라.”

“과연 그럴까요? 전에 학교에서 민서가 가위로 병아리를 난도질하는 걸 봤어요."

동규는 혼란스러운 표정을 지었다. 딸의 성향에 대해 전혀 모르는 것 같았다. 그의 시선이 허공을 헤매더니 낮은 목소리로 말했다.

"민서는 아무 잘못 없어. 제발 애는 건드리지 마."

동규의 애원에 희태가 몸을 일으켜 세우며 말했다.

"민서는 엄마 아빠처럼 되지 않길 바라야죠."

"네가 하는 일이 정말 옳다고 생각해? 결국 너도 우리랑 똑같은 살인자야."

"제 살인엔 분명한 대의가 있어요. 저는 형사님처럼 쾌락을 위해 살인을 저지르지 않아요."

동규가 어처구니가 없다는 듯 웃었다.

"그거 알아? 가해자들은 대부분 피해자였다는 거? 자신의 몸과 마음을 망가뜨린 고통을 다른 사람들에게 그대로 전가해서 또 다른 피해자들을 만들어 내는 거지. 그렇게 알게 모르게 괴물이 되어 가는 거라고. 사명이니 대의니 그럴싸한 말로 포장하지만, 결국 네가 하는 짓 역시 계속해서 또 다른 피해자와 괴물을 만들어 낼 뿐이야."

희태가 대답 대신 몸을 일으켜 칼을 집어 들고 천천히 동규에게 다가갔다. 동규가 바닥에 떨어뜨린 칼을 집어 들어 앞으로 내밀었다.

"마지막 발악이라도 해 보시려고요?"

동규는 공허한 눈빛으로 희미한 미소를 지었다.

"살해당하는 건 내 취향 아니라서."

그는 그 말과 함께 조금의 주저함도 없이 칼로 자신의 몸통을 난도질하기 시작했다. 그는 자신의 몸을 칼로 쑤셔 대는 내내 더없이 환한 웃음을 지었다. 희태는 살면서 누군가의 그만큼 행복한 얼굴을 본 적이 없었다. 그 티 없는 웃음은 너무나도 천진난만해서 보는 사람조차 홀린 듯 같이 따라 웃게 만들었다. 마치 아이들이 좋아 보이는 것을 따라 하듯, 그 황홀한 의식에 함께 참여하고 싶다는 충동을 느끼게 할 정도였다.

동규의 몸에서 피가 쏟아져 나왔다. 그가 인위적으로 만든 몸통 구멍들에서, 그리고 그가 원래 가지고 있던 여러 구멍들에서. 더 나올 피가 있을까 의문이 들기 시작할 때쯤 그의 호흡이 마지막 숨을 내쉬고는 그대로 멈췄다. 그의 손에 쥐어져 있던 칼이 달그락 소리를 내며 땅에 떨어졌다.

그의 마지막 살인이었다.

2.

“한 모 씨가 숨진 채 발견된 한 모 씨 소유 창고와 자동차 트렁크에서 50대 대리 기사와 30대 남성의 시체가 발견되었습니다. 검찰 측은 한 모 씨가 두 사람을 살해한 뒤 스스로 목숨을 끊었다고 발표했고, 한 모 씨의 범행 동기와 추가 범죄 여부를 계속해서 확인 중이라고 밝혔습니다.”

영원히 끝나지 않을 것만 같았던 긴 하루가, 격렬했던 동규의 마지막 살인이 단 몇 줄로 요약되어 세상에 공개되었을 때 내가 느꼈던 감정은 우월감이었던가 아니면 허무함이었던가.

화재 신고를 받고 출동한 소방대원들은 불이 크게 번져 전소된 창고에서 예기치 못한 4구의 시신을 발견했다. 현장은 진화 작업이 끝나자마자 곧바로 경찰 측에 인계되었다. 조사를 통해 승찬과 동규의 유착 관계를 확인한 수사관들은 동규가 지금껏 공권력을 이용해 살인 및 수많은 범죄에 개입해 왔다는 치부를 덮기 위해 그의 죽음을 단순 자살로 빠르게 종결시켰다. 지원은 동규와 승찬의 싸움에 휘말려 목숨을 잃은 것으로 결론 내려졌다.

동규를 미행하던 날의 블랙박스 영상을 다시 확인해 보니, 내가 잠깐 졸았던 사이 지원이 창고 뒤편에 세워져 있던 차를 타고 유유히 현장을 떠나는 장면이 녹화되어 있었다. 결국, 지원의 정체는 나만 아는 비밀로 남겨지게 되었다.

동규의 사건을 덮을 만큼 세간의 관심이 쏠린 건 한 아파트에서 일어난 일

가족 살인 사건이었다. 마약에 취한 한 남자가 자신의 가족을 끔찍하게 살해한 후 약물 과다 복용으로 사망한 사건이었다. 기자들은 너 나 할 것 없이 이 사건에 달려들어 사건의 잔혹성과 마약의 위험성을 보도했다.

나는 동규의 가족을 인질로 그를 궁지로 몰았고, 그는 그 답례로 나의 가장 소중한 것을 찾아내 철저하게 망가뜨렸다. 내가 나만의 신념에 취해 영웅 행세를 하는 동안 유원은 하루아침에 마약에 취해 일가족을 살해한 괴물이 되었다. 나는 유원의 목숨도, 가족도, 명예도 아무것도 지켜 주지 못했다.

모든 게 다 나 때문이었다. 나만 아니었다면 유원도, 유원의 가족도 아무도 죽지 않았을 것이다. 그들을 지키고 싶었던 마음이, 그들에게 속하고 싶었던 욕심이 오히려 그들을 내게서 앗아 갔다. 내가 망가뜨린 건 그들뿐만이 아니었다. 나로 인해 민서는 하루아침에 고아에 살인자의 딸이 되었다. 평생 지워지지 않을 낙인이 찍힌 아이는 어떤 인생을 살게 될까.

어쩌면 나는 정말 동규의 말대로 계속해서 또 다른 피해자들을, 괴물들을 만들어 내고 있는 건지도 모르겠다. 누군가는 꼭 해야만 하는 일이라고 생각했는데, 나만이 할 수 있는 일이라고 생각했는데, 이젠 내가 하는 일이 정말 옳은 일인지조차 확신이 서질 않았다. 그래서 나는 치팅 데이를 멈추기로 했다. 오랫동안 지켜 온 신념에 의구심이 들자 더 이상 내 행동을 정당화할 수가 없었다.

나는 시간이 날 때마다 종종 수진의 아들과 민서를 보러 갔다. 수진의 아들은 보육원에 맡겨져 새로운 삶에 천천히 적응해 나가고 있었다. 얼굴에 짙은 그늘이 드리워져 있던 아이는 이제 제법 환하게 웃을 줄도 아는 평범한 아이가 되었다.

반면, 민서는 점점 웃음을 잃어 갔다. 뉴스에선 동규의 실명이 한 번도 거론되지 않았지만, 살인자 한 모 씨가 민서의 아빠라는 소문은 사람들의 입에 오르내리며 금세 눈덩이처럼 불어나 동네 구석구석을 빠르게 돌아다녔다.

선생님들 사이에서도 이미 소문이 파다했다. 교장이 직접 나서서 입단속을 시킨 후에도 동규의 일은 한동안 선생님들의 이야깃거리가 되어 그들의 입에 오르내렸다. 학부모들에게 받은 항의 전화만 수십 통이었다. 할머니 집 근처로 전학을 간 후에도 민서는 소문으로부터 자유로워지지 못했다. 부모님의 부재도, 끈질기게 따라붙는 소문도 모두 아이가 감당하기 벅찬 고통이었다.

이런 걸 바란 건 아니었다. 민서를 평생 괴롭게 만들겠다는 말은 동규에게 고통을 주기 위해 했던 말이었지 진심이 아니었다. 하지만 내 진심이 어떻든 나는 정말 아이의 인생을 시궁창으로 밀어 넣은 것이나 다름없었다.

어느 날, 학교 수업을 마치고 집으로 돌아가는 민서가 다른 아이와 싸우는 걸 봤다. 민서는 아이들에게 둘러싸여 있었다. 아이들 쪽으로 다가가자 잔뜩 화가 난 한 남자아이의 목소리가 들려왔다.

"넌 여기서 놀지 마. 우리 엄마가 너랑 놀지 말라고 그랬어. 너네 아빠 살인자잖아."

"아니야! 우리 아빠 경찰이야!"

"거짓말! 너네 아빠는 엄청 나쁜 사람이랬어."

아이들이라고 방심해서는 안 됐었다. 자신들과 조금이라도 다른 모습을 보이면 바로 선을 그어 버리는 건 애나 어른이나 다를 게 없었다.

하지만 내가 또 예상하지 못했던 건 민서의 반응이었다. 무섭게 돌변하던 눈, 주저 없이 주머니에서 가위를 꺼내던 손. 민서는 마치 언제 터질지 모르는 시한폭탄 같았다.

아슬아슬하게 잡아낸 민서의 가위 끝이 내 손바닥 살갗을 찢고 작은 상처를 냈다. 성인만큼의 큰 힘이 실리지 않아 깊은 상처를 내진 못했지만, 만약 민서가 찌른 것이 내 손이 아닌 앞에 있던 아이의 얼굴이었다면 어떤 상황이 벌어졌을지 눈앞이 깜깜했다.

나는 서둘러 상황을 수습하고 아이들을 집으로 돌려보냈다. 나를 보고 놀란 표정을 짓던 민서가 날이 선 말투로 물었다.

"선생님이 왜 여기 있어요?"

"민서 보고 싶어서 왔지."

민서는 시선을 떨구고 아무런 대답도 하지 않았다. 민서의 시선은 피가 흐르는 내 손을 향하고 있었다. 내가 손을 등 뒤로 숨기며 말했다.

"민서야, 우리 약속했잖아. 이런 모습은 아무한테도 들키지 않기로. 사람을 다치게 하는 건 더더욱 안 돼."

"쟤가 저한테 먼저 나쁘게 말했어요."

민서는 여전히 화가 나 있었다. 나는 민서의 어깨를 가볍게 잡았다.

"선생님이 말했잖아. 아무도 네 이유를 궁금해하지 않을 거라고. 누가 먼저, 더 큰 잘못을 했는지는 상관없어. 네가 그런 모습을 보이는 순간 모든 게 네 잘못이 되어 버리는 거야."

내 말을 알아들은 건지 못 알아들은 건지, 민서는 알 수 없는 묘한 표정을 지었다.

"선생님도 우리 아빠가 나쁜 사람이라고 생각해요?"

아이의 묵직한 질문에 마음이 착잡했다.

"다른 사람들 생각이 뭐가 중요해. 민서가 어떻게 생각하는지가 중요하지."

"선생님은 우리 아빠 싫어하잖아요."

가슴이 철렁 내려앉았다.

"응? 선생님이 민서 아빠를 왜 싫어해."

"싫어하니까 그때 우리 아빠랑 싸운 거 아니에요?"

"어?"

"저번에요. 아빠가 학교에 찾아왔었잖아요. 그때 왜 아빠가 화를 내면서 선생님 목을 졸랐어요?"

나는 당황한 기색을 숨기고 모른 척 시치미를 떼며 대답했다.

"선생님은 민서가 무슨 말 하는지 잘 모르겠네."

민서가 무표정한 얼굴로 똑딱똑딱 혀를 차며 그날 내가 동규에게 목이 졸리며 냈던 소리를 똑같이 따라 했다.

"저 다 들었는데 기억 안 나요?"

아무런 대답도 하지 못하는 내게 민서가 계속해서 답하지 못할 질문들을 던졌다.

"선생님은 우리 엄마 아빠가 왜 죽었는지 알아요? 할머니는 말을 안 해 줘서요."

여전히 아무런 대답을 할 수가 없었다. '왜'라는 질문이 마치 부모의 죽음에 책임을 묻는 원망처럼 들렸다. 순간, 눈앞에서 내게 계속 그날의 진실을 요구하는 이 작은 아이를 죽이고 싶다는 충동이 몰려왔다.

"선생님, 아파요."

민서를 붙잡고 있던 손에 나도 모르게 힘이 들어가 어깨를 세게 움켜쥐고 있었다. 나는 흠칫 놀라며 민서의 어깨에서 손을 뗐다. 민서를 똑바로 마주하기가 어려웠다. 지금 내 안에 요동치는 이 감정이 무엇을 의미하는지 알 수가 없었다. 이제 와서 죄책감이라도 느끼는 걸까? 아니면 후환을 미리 죽여 없애라는 본능의 외침일까.

민서는 여전히 입을 꾹 다문 채 나를 바라보고 있었다. 민서는 그날 일을 어디까지 들었고, 어디까지 기억할까. 민서는 영리한 아이다. 지금은 아무런 답을 얻지 못하고 돌아가더라도 시간이 지나 퍼즐을 끼워 맞출 수 있는 나이가 되면 의심은 점점 꽃을 피워 그 가시를 내게 들이밀 것이다.

문득 우리가 언젠가 서로의 표적이 되어 다시 만나게 될 것 같다는 예감이 들었다.

에필로그

치팅 데이가 없이도 내 인생은 잘만 흘러갔다. 이젠 지킬 사람도, 복수를 해야 하는 대상도 없었다. 그저 화가 나도 참고, 불의를 봐도 눈을 돌리면 그만이었다. 나는 이제야 엄마가 그렇게 원하던 평범한 사람이 되어 갔다.

지루하고 평범한 일상을 보내던 어느 날, 빌라 앞에 경찰차가 세워져 있었다. 혹시라도 사건의 진상을 파헤친 경찰들이 나를 잡으러 온 건 아닐까 싶었지만, 우려와 달리 경찰들은 우리 집이 아닌 옆집의 초인종을 눌렀다.

아랫집의 신고로 출동한 경찰들이 목격한 것은 의식을 잃은 채 피 웅덩이에 누워 있던 옆집 여자였다. 옆집 여자를 그렇게 만든 건 그녀의 남편이었다. 격해진 부부 싸움 끝에 분에 못 이겨 아내를 폭행하다 결국 칼로 찌른 옆집 남자는 그 자리에서 바로 경찰들에 의해 체포되었다.

빌라 사람들이 1층에 몰려들어 옆집 여자가 구급차에 실려 가는 모습과 옆집 남자가 연행되는 모습을 지켜봤다. 몇몇 사람들은 옆집 남자가 강제 퇴직을 당하고 나서부터 부부 싸움이 날로 심해졌다는 이야기들을 수군거렸다. 누군가에겐 생사를 오가는 상황이 누군가에겐 그저 재밌는 구경거리에 불과했다.

계단에서 굴러 사경을 헤매다 운 좋게 목숨을 건진 옆집 남자는 개과천선한 삶을 살기보다는 예전의 망나니 같은 모습 그대로 살기를 선택했다. 내가 소임을 다하지 못한 일이 애꿎은 피해자를 만들어 냈다. 내가 옆집 남자를 제대로 죽였더라면 생기지 않았을 피해자였다.

입가에 미소가 절로 피어났다. 역시나 세상은 나를 가만히 내버려 두지 않았다. 나는 살인에 굶주렸고, 세상은 그런 나에게 계속해서 적당한 먹이를 눈앞에 던져 주었다. 나는 틀리지 않았다. 내 신념은 잘못되지 않았다. 더 이상 쓸데없는 감상에 젖어 있을 겨를이 없었다. 세상엔 여전히 죽어 마땅한 것들이 넘쳐 났다.

이것은 게임과 같다. 잡힐 때까지 끝나지 않는 게임. 나는 내가 정한 규칙 안에서 나만의 치팅 데이를 이어 나갈 것이고, 게임 오버가 되는 그 순간까지 있는 힘을 다해 몸부림칠 것이다.

꼭꼭 숨어라, 머리카락 보인다.

치팅 데이

초판 1쇄 인쇄 2024년 9월 25일
초판 1쇄 발행 2024년 9월 25일

지은이 이현진
편집 주자덕
윤문 및 교정 김미숙
발행인 주자덕
인쇄 미래피엔피
펴낸 곳 아프로스미디어
출판등록 제 2016-000073호
주소 서울특별시 성동구 금호로 173, 101동 904호
전화 02-6352-5133
팩스 02-6455-5891
홈페이지 www.aphrosmedia.com
전자우편 spitz70@aphrosmedia.com
ISBN 979-11-89770-53-2 (03810)

* 투고는 언제든지 환영이니 이메일로 보내 주세요.
* 잘못 만들어진 책은 구입하신 곳에서 바꾸어 드립니다.
* 책값은 뒤표지에 있습니다.